このホラーがすごい！

2024年版

『このミステリーがすごい！』編集部 編

宝島社

モキュメンタリー・ホラーの旗手がここに集結

雨穴×梨×背筋

スペシャル鼎談

現代ホラーシーンを特徴づける一大潮流、モキュメンタリー。ドキュメンタリーを思わせる語り口で、虚構と現実の境界を曖昧にするモキュメンタリーは、映像のみならず活字のホラーでも高い人気を誇っている。その代表的な作品である『変な家』『かわいそ笑』『近畿地方のある場所について』の著者三名がここに集結！ モキュメンタリーと恐怖についてじっくりと語りあった。モキュメンタリーの魅力はどこにあるのか、そしてホラーは今後どこに向かうのか。必読のスペシャル鼎談《ていだん》をお届けします。

取材・文＝朝宮運河

雨穴 うけつ

作家・ウェブライター・ユーチューバー。二〇一八年よりウェブ媒体オモコロにてライター活動を開始。二一年『変な家』を発表、話題となる。他の著作に『変な絵』『変な家２』など。

梨 なし

作家・ウェブライター。二〇二一年よりオモコロにてライター活動を開始。二二年、モキュメンタリー・ホラー『かわいそ笑』で作家デビュー。他の著作に『6』『自由慄』など。

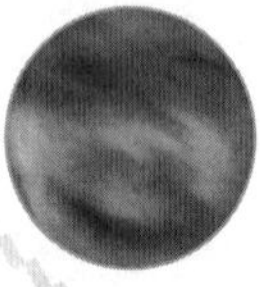

背筋 せすじ

作家。二〇二三年、小説投稿サイト・カクヨムに連載したモキュメンタリー「近畿地方のある場所について」が話題となる。同作を書籍化した『近畿地方のある場所について』で作家デビュー。

私たちはなぜ モキュメンタリーを書くのか

――本日はよろしくお願いします。まず順番に自己紹介をお願いできますか。

雨穴　雨穴というものです。仮面を被ってウェブ記事を書いたり、動画を制作したり、『変な家』『変な絵』などの小説を書いたりしています。お二人ほどホラーに詳しくないので、今日はお手柔らかにお願いします。

梨　梨です。主にインターネットで活動している怪談作家です。学生時代から共同創作サイト・SCP財団（※1）に参加していて、その後雨穴さんも関わっているオモコロというウェブ媒体で記事を書くようになりました。現在は本を書いたり、イベントをしたり、テレビ番組にホラーアドバイザー的な立ち位置で関わったりと、ネット以外での活動も増えています。

背筋　背筋と申します。二〇二三年にカクヨムに掲載した『近畿地方のある場所について』という書籍が発売されました。もともと〝読む専〟〝観る専〟の人間だったのでこの場にいることがどうにも信じられませんが、今日はよろしくお願いします。

――この鼎談ではお三方が得意とされているモキュメンタリー・ホラーについてお話しいただければと思います。初めに皆さんとモキュメンタリーとの関わりについて教えてください。

雨穴　梨さんが今おっしゃったオモコロという媒体でウェブライターをしているんですが、ウェブ記事では創作を書いてもあまり読まれない、フィクションは載せない方がいい、という暗黙の了解があるんです。その枠内で創作をするには、ルポっぽい体裁を取るしかなかったんですね。モキュメンタリーがやりたかったというより、必然的にモキュメンタリーになってしまった、という感じです。YouTubeの動画も同じで、純然たるフィクションを作ろうとすると役者さんを雇う必要があったり、お金も手間もかかりますよね。一人称のモキュメンタリーだとそこがクリアできるという事情がありました。

梨　オモコロってどんなにはちゃめちゃな記事であっても、導入部が「都内某所、何月何日」とルポっぽい感じだったりするんです。そういう定型がモキュメンタリーと馴染みやすかった、というのはありますよね。私はそれと加えて、SCPに記事を書いていたのも大きい。SCPというのはざっくり言うと、世界中の大人が集まって〝ごっこ遊び〟をしている創作文化なんです。参加者はSCP財団に属している職員という体《てい》で、奇妙な現象に関するもっともらしいレポートを投稿する。こうした活動は、やっぱりモキュメンタリーを作る下地になっているなと思います。

背筋　私はお二人のようにライターとしてのキャリアがあるわけではなく、ただ趣味で怪談を書いていたらデビューすることになった、という人間です。趣味ですから根底にあるのは「おれの考えた最強の怪談を読んでくれ」という思いで（笑）、複数のエピソードをカクヨムに掲載していったのですが、それらを載せる大きな器があった方がいいかなと書きながら考

※1　P.151参照

えたんですね。もともと実話怪談やファウンド・フッテージ（※2）系のホラー映画が好きだったこともあり、見よう見まねでモキュメンタリーっぽい枠を作ってみました。憧れとなりゆきの産物なんです。

梨　今日の鼎談もそうですけど、私たちってモキュメンタリーの代表みたいに紹介されることがあるじゃないですか。でもモキュメンタリー自体は長い歴史のあるジャンルで、POVホラー（※3）は一九八〇年代の『食人族』あたりから作られているし、『新耳袋』などの実話怪談もある意味モキュメンタリーだし、もっと言うと「昔々、あるところに」という説話的な語りにもフェイクっぽい要素がある。自分はその大きな流れの末端で活動しているという意識があります。

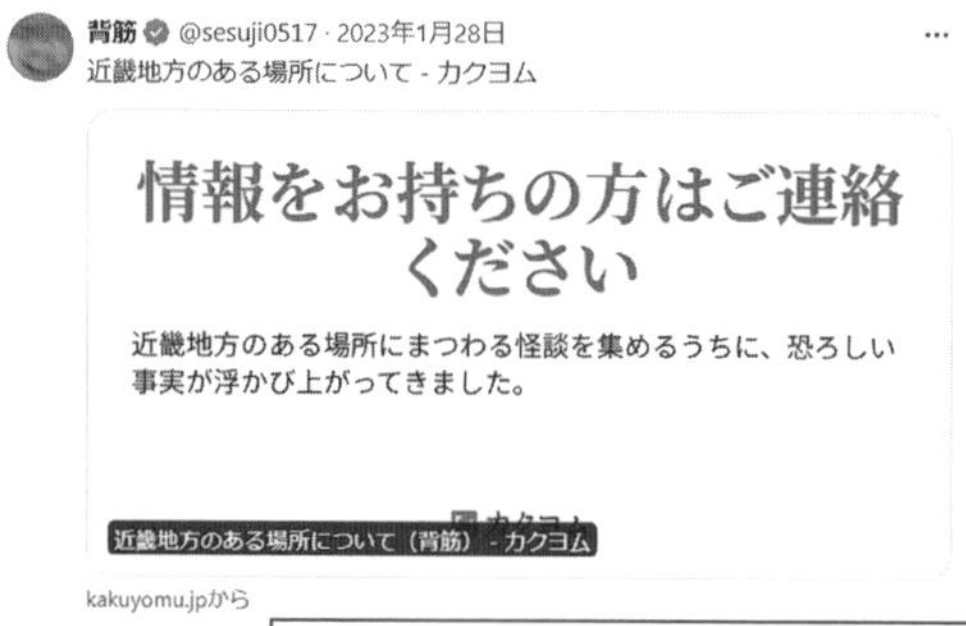

kakuyomu.jpから

近畿地方のある場所について

2023年1月に「消息を絶った友人について情報を提供してほしい」という呼びかけがカクヨム及びTwitter（現X）に投稿された。その投稿には、友人が調べていたという、ある地域で起きたさまざまな怪奇現象についての記事の抜粋も転載されており……。リアルタイムで更新される情報、繋がっていく怪異、見え隠れする真相が話題を集め、一大ムーブメントを起こした作品。同年8月に書籍化。

「もしかしたら本当かも」と思うことで恐怖が生まれる

背筋　梨さんはモキュメンタリーの魅力って、どのあたりにあると思われます？

梨　モキュメンタリーはフェイクドキュメンタリーとも言うように、「フェイク」と「ドキュメンタリー」を融合させる手法。この二つのうち私は「フェイク」の部分に重きを置いています。つまりこれは作り物ですよとあらかじめ宣言したうえで、本物っぽいものを提示できたりする面白さですね。背筋さんは？

背筋　私にとってはホラーの中のひとつの枠組みですかね。喩《たと》えるならプロレスのリングみたいなもの。その上で戦うレスラーを見ても、観客は本気でやり合っているとは思わないわけですよね。でも場外乱闘で流血している姿を見たりすると、「もしかしてマジなのかな」と一パーセントくらい感じたりする。そういう「もしかして」を楽しむためのひとつの仕掛けが、モキュメンタリーなんじゃないでしょうか。遊園地のジェットコースターでも絶対安全と言われるより、嘘でも「二十パーセントの確率で死にます」と言われた方がドキドキするじゃないですか。

雨穴　それは怖いな（笑）。

背筋　ホラーにはこれって本当なんじゃないかと思うと、怖さが増すという側面がある。モキュメンタリーはその心理を上手く突いていますよね。

雨穴　お二人の話を聞いていて、ホラーの進化を感じましたね。確かに「私は嘘しか吐《つ》きません」という人を前にしたとき、無意識にその行間から『本当』を見出そうとしてしまうものだと思います。梨さんのようにあえてフェイクだと宣言することで、その先にある真実を読者に感

※2　撮影者が行方不明になるなどして埋もれていた映像、という設定の作品。
※3　特定の登場人物が持つカメラなどを使用し、主観的な視点のみの映像を用いた作品。

スペシャル鼎談

雨穴×梨×背筋

じ取らせるという手法はすごく新しいと思います。そういう進化をホラー好きとしては喜んで受け入れているんですけど、作り手としてはややスタンスが異なっていて。私は創作という枠から、極力出たくないという思いがあるんです。もしかして本当なんじゃないかと読者に感じさせてしまったら、それは自分の負けだと思っています。

背筋　なるほど、それは雨穴さん的に負けなんですね。

雨穴　私が一番書きたいのは物語なんです。モキュメンタリーの手法を使ってはいますが、それはあくまでストーリーの見せ方のひとつで、読者には百パーセント創作だと理解したうえで安心して楽しんでもらいたいんですよね。お二人に比べると「自分はちょっと遅れてるのかな」という負い目はあります。

梨　「変な家」のオリジナル記事がオモコロに掲載された際、「【不動産ミステリー】変な家」というタイトルがつけられていたじゃないですか。私だったら同じ内容でも「不動産ミステリー」とは書かないだろうと思います。でもミステリーと掲げることで読者へのフックになるし、こう楽しめばいいですよという導線の役割にもなる。雨穴作品にはおもてなしの心がありますよね。

背筋　雨穴さんが物語を大切にされているのは、色んな作品を拝見してよく分かります。でもアウトプットの方法がモキュメンタリー調だから、物語ではなく現象をメインに扱っているようにも見える。その絶妙な違和感みたいなものが、唯一無二の雨穴ワールドを作っているのかなとも思いますね。

雨穴　モキュメンタリー的な表現については、お二人から受けた影響がかなり大きいんです。梨さんがオモコロ杯2021に応募された「瘤談《りゅうだん》」という記事を読んだ時に、道端に転がっている石の質感まで伝わってくるようなリアルな文章表現に衝撃を受けました。あそこでモキュメンタリーへの意識がひとつ変わりました。

梨　そうだったんですね。

雨穴　それに去年出した『変な家2』という小説は、完全に『近畿地方のある場所について』のオマージュで。モキュメンタリー系の『変な家』を出した後、一旦このジャンルから離れようと思いまして、

変な家

購入を検討している中古物件の間取りに不可解な点がある、と知人から相談を受けた「私」は、設計士・栗原とともに間取り図を見ていくうち、ある恐ろしい推測に行き着く――。

2020年10月にWeb記事（オモコロ）と動画（YouTube）が公開されて以来、大きな反響を呼び、翌年7月に刊行された書籍版は175万部（うち、電子16万部）を突破する大ベストセラーとなった。全体を覆う不穏な雰囲気と、個々の情報が繋がって真相に導かれる構成が本作で高く評され たことは、近年のモキュメンタリー・ホラーブームの礎石を築いたと言えるだろう。

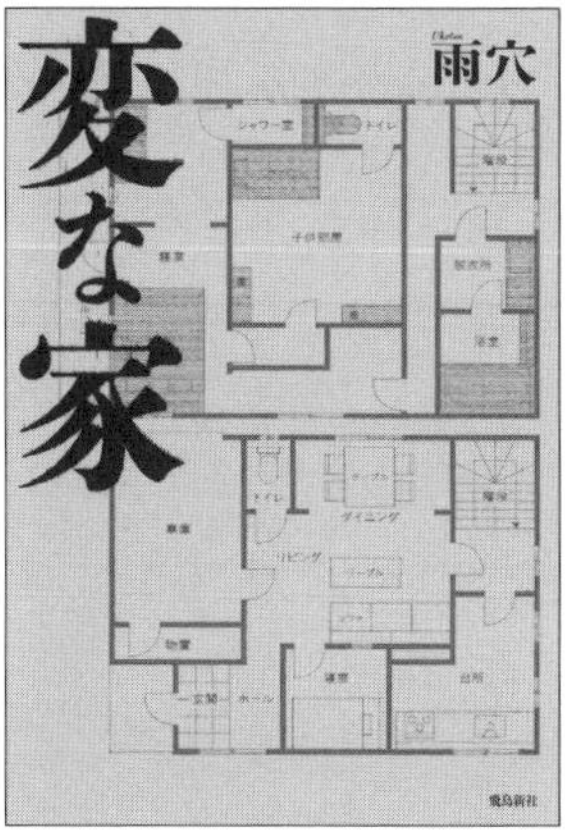

『変な家』
雨穴（飛鳥新社）

よりストーリー性を重視した『変な絵』を出したんですけど、背筋さんの『近畿地方』を読ませていただいたことで、もう一度モキュメンタリーに挑戦してみたくなりました。取材者が集めた情報がパズルのように繋がっていくという構成はやっぱり面白いし、まだ可能性があると感じたんです。この場を借りてお詫びしますが、『変な家2』の執筆中の仮タイトルは「中部地方のある場所について」だったんですよ（笑）。

背筋　恐れ多い。でもそれを言ったら、私は雨穴さん、梨さんをずっと前から追いかけている古参ファンですから。お二人が書籍で注目を集めたのは嬉しいことなんですが、みんなオモコロの記事も読めよ！と思っています。

梨&雨穴　（笑）。

背筋　初めて拝読した雨穴さんの記事は、「肉をベランダに干す」というオモコロの記事。タイトルそのままの内容なんですが、あまりの意味不明さに思わず「ヤバいやつがいるぞ！」と友人に教えましたから（笑）。その後、巨大なうさぎの鼻を作ったり、楽器を演奏しているのを見て、よく分からないけどこの人はすごいアーティストなんや、と思いました。

雨穴　いい方に解釈してくださってありがとうございます（笑）。

オモコロ

「ゆるく笑えるコンテンツに特化した」Webメディアだが、ミステリーやホラーを扱った記事も多数。読者から記事を募集し、「もっとも笑えて面白い」作品を表彰するという「オモコロ杯」を開催している。

雨穴「肉をベランダに干す」
https://omocoro.jp/kiji/144401/

梨「まかりくがい」
https://omocoro.jp/kiji/311060/

背筋　梨さんとの出会いは、パソコンに見慣れない写真が表示されるという怪談（「まかりくがい」）。

梨　オモコロに最初に書いたやつですね。

背筋　大学生がレポートを書いていて、仮眠を取って作業を再開したら、いつの間にか不吉な画像が挿入されていたという、嫌《いや》〜なリアリティの漂う話で。これまた怖くて友人に教えました。お二人の記事が衝撃的だったのは、読者の方を向いていないように感じられたこと。面白いとか怖いとかそういうレベルとはちょっと違って、見た者を戸惑わせるヤバさがほとばしっていました。雨穴さんと梨さんがモキュメンタリーの分野で注目されるのは良いことなんですけど、私に言わせるとそれは氷山の一角でしかない。ほとばしりの部分にみんなもっと触れてほしいです。

梨　この鼎談の前提を覆すような発言（笑）。背筋さんの『近畿地方』はカクヨムに投稿された作品ですが、カクヨムの機能をうまくモキュメンタリーに生かしていましたよね。

背筋　角川ホラー文庫が好きだからという単純な理由でカクヨムを選んだのですが（カクヨムはKADOKAWA運営）、使ってみると近況ノートというメモ的な機能があったり、SNSと連動させられたりしたので、より気持ち悪さを出すために、それらも作品内容と連動させることにしました。すでにある機能がたまたまモキュメンタリーに利用できた、という感じです。

梨　『近畿地方』は書籍版には書籍版ならではのギミックがありましたし、媒体をハックしてやろうという気概を感じたんです。

背筋　いえいえ、そんな格好の良いものではなくて。角川ホラー文庫から出ていた映画『呪怨《じゅおん》』のノベライズが巻末袋とじになっていて、それを真似ただけなんです。私の作品はこれまで摂取してきた、素晴らしいホラー小説や映画へのラブレターなんですね。梨さんみたいに、これまでにない驚きをゼロから生み出せる方《かた》はすごいと思いますよ。

梨　怪談文芸としての恐怖表現とは別のところに、もうひと驚き加えられないかな、ということは常に考えています。そしてそのギミックは、書籍なら書籍、ウェブならウェブと、媒体ごとに互換性がない方が面白い。そもそもモキュメンタリーは誰がその物語を語っているのかという部分に仕掛けがありますし、この手のギミックとも相性がいいと思います。

考察型ホラーとのつき合い方

――モキュメンタリーと関連して近年注目されているのは、あえて余白を残した考察型のホラーです。お三方は〝考察〟に対して、どのようなスタンスを取っているのでしょうか。

雨穴　私は作品の中で全部説明し尽くすというスタンスでやっています。私から見ると梨さん、背筋さんのやり方は挑戦的ですし、読者を信頼しているなという印象も受けます。

背筋　ネット怪談の洒落怖《しゃれこわ》（※4）とか実話怪談の『新耳袋』などは、現象に対する説明がほとんどないですよね。そうした得体の知れない怖さが、私は非常に好きなんです。一方で関西人だから、というわけではないんでしょうが、白黒はっきりつけたがる人間でもあるんですよ（笑）。それで『近畿地方』では得体の知れない怪談の由縁が徐々に分かってくる、しかもその由縁は全然大したことがない、

新耳袋

1990年代、『「超」怖い話』（勁文社、竹書房）とともに実話怪談ブームを巻き起こした怪談集シリーズ（初出は1990年『新・耳・袋』（扶桑社））。取材によって聞き集められた怪異の体験談が百物語形式で語られる。実話怪談とは何か、現代ではどのような広がりを見せているかについては本書P.82〜85の、2つのレビュー＆コラムを参照してほしい。

『新耳袋』
木原浩勝・中山市朗
（KADOKAWA）

※4　2ちゃんねる（現・5ちゃんねる）に立てられた「死ぬほど洒落にならない怖い話を集めてみない？」というスレッドに集まった匿名体験談の略称。

という作りにしました。途中でこれはどういうことだろうという部分が出てくるのですが、それは物語を先に進めるための謎であって、必ずしも読者に考察を求めているわけではありません。結末については雨穴さんと同じで、説明できることは一応全部説明したつもりです。ただ「謎が残る」という感想をいただくことが多くて、説明下手だったかなあと反省しているところなんです。

雨穴　考察を求める読者にとって、私の作品はシンプル過ぎると思うんですね。そういう人はもっと歯ごたえのある謎を求めているのかな、と『近畿地方』の大ヒットを見ていて感じますけど。

背筋　答えになっているかどうか分かりませんが、作品は面白さが「層」になっているのが理想だと思っています。私は『新世紀エヴァンゲリオン』が大好きなんですが、あの作品は楽しみ方がいくつもあるんですよね。巨大な汎用ヒト型決戦兵器が戦うアクションとしての楽しみ、複雑な人間心理の揺らぎを描いたドラマの面白さ、聖書や神話のメタファーを読み解く知的な興奮。何層もの面白さが重なっているから、年代によって受け止め方が変わる。『近畿地方』でもそういう作り方を参考にしました。シンプルに怖い話が読みたいという人は各エピソードを楽しんでもらえればいいですし、その裏側にあるストーリーを読んでも楽しめる。ちなみに雨穴さんの作品がシンプルだとはまったく思わないですよ。

梨　考察の難易度で言うと、この三人はいいグラデーションになっていますよね。

背筋　そう、梨さんは激辛レベル（笑）。

梨　私は結構不親切な書き方をすることもあるのですが、どこまで書くかは明確な基準を設けています。隠されている情報を開示することで、より怖くなったり面白くなるなら開示する、そうでないなら開示しない。

雨穴　怖さがひとつのポイントなんですね。

梨　断片的な情報が繋がってそれまで分からなかった怪異の正体が明らかにされる、という構造ってめっちゃ面白いじゃないですか。私ももちろん大好きなんですけど、そこで生まれる面白さは一種のカタルシスですよね。そしてカタルシスって恐怖と一番遠くにある感情なんです。カタルシスを取るか、恐怖を取るかでストーリーテリングの方法は大きく変わりますが、この二つなら私は怖さを取りたい。もちろん完全に意味不明になってもいけないので、分かりやすさと分からなさの間で、いつもウンウン唸っている感じです。

背筋　思わず首がもげるほど頷いてしまいましたが、謎解きと怖さはバッティングするんですよね。例えばお化けが出てきて、「返してよ」と謎めいた台詞を口にしたとします。何を返してほしいのか分からないから得体の知れない怖さが生まれるわけですが、調査の結果、お金を返してもらえずに死んだ人の幽霊だと分かったとする。なるほどとは思いますが、怖さは急激に薄れていきますよね。私の肌感覚ではこの二つには中間領域がなくて、二者択一なんですよ。梨さんの作品は由縁を明かさないことで怖さを保っていて、私は怖くなくなることを納得したうえで種明かしをしています。そこは同じモキュメンタリーでも大きな違いですよね。「怖くないけど面白かった」というのは、私にとってはある種の褒め言葉なんです。

梨　私がもらって嬉しい褒め言葉は、「何のことだか分からないけど怖かった」です。

背筋　いいですね、完全に対比になっている。雨穴さんはどうですか。

雨穴　私も「面白かった」と言ってもらいたいですね。そのために一行目で謎を出したら、二行目で解決するというような作りにこだわっています。たまにホラー作家と呼んでいただくこともあるんですが、ホラー作家というのは梨さんのようなタイプを言うんでしょうね。私が『ホラー』を名乗るのはおこがましいというか。

梨　ただこれはあくまで作り手の側の問題で、読み手は気にせず楽しんでくれたらいいんですよね。考察してもいいし、素直に楽しんでもいい。読み手に考察を強いるのはちょっと違うかなと思います。

覆面作家であることのメリット、デメリット

——皆さんは素顔や詳しいプロフィールを公開していませんよね。覆面作家であることは、モキュメンタリー的な表現とも関わりがあるのでしょうか。

背筋　覆面ということなら、まず雨穴さんにうかがってみたいですね（笑）。

雨穴　私がこういう仮面を着けた姿で活動を始めたのは、固有名詞のある一作家ではなく、括弧《かっこ》つきの「人」を表現したかったからです。でも一度始めると引っ込みがつかなくなるというか、生身の人間として顔出しするわけにはいかなくなって……（笑）。素顔を隠しているというより、「雨穴」という着ぐるみを被っている感覚に近いですね。モキュメンタリー作家らしい匿名性ということですと、お二人の方が徹底しているような気もしますが。

背筋　私が素顔を隠しているのは、単純に本業との兼ね合いです。面白くない答えでごめんなさい。『忌録《きろく》 document』というモキュメンタリー・ホラーの名作がありますが、あの作品は作者の素性が一切分かりませんよね。私はあそこまで徹底する根性はないので、本業の縛りがなかったら、どこかのタイミングでぽろっと顔出ししていたような気がします。二つある背筋名義のXアカウントも作品用

忌録 document X

2014年にKindleにて電子媒体でのみ発売されたモキュメンタリー・ホラーの作品集。文中に生々しい写真や調査資料が差し挟まれる、作中に登場するブログが実在するなど、リアリティーのある描写に強い恐怖を抱かされる。著者の情報は一切公開されておらず、名前の「阿澄思惟」も「アラン・スミシー（アメリカ映画で、諸事情によって監督の名前を伏せなくてはならないときに用いられていた偽名）」をもじったものだと推測されている。

『忌録 document X』
阿澄思惟

の方は内容と投稿が連動してますが、本人用の方は素の私として、好きなことつぶやいてますから（笑）。そのくらい覚悟のない覆面作家です。

梨　私もそこまでこだわりがあるわけじゃなくて。数年前、同人活動をしていた頃は、普通に顔を出してコミケに参加していました。作家としても完全に匿名というわけではなく、インタビュー記事では後ろ姿や首から下までは公開する、というくらいの距離感ですね。覆面作家を貫くつもりはないですし、近々またコミケに参加しないと、と思っています。

雨穴　梨さんのXのアイコンは、可愛らしいイラストじゃないですか。あれをゆるくて可愛いと感じる人がいる一方で、言いようのない怖さを感じる人もいるだろうと思います。そのバランスが絶妙ですね。

背筋　私は怖かったですよ、あのアイコン。ホラーですよね。

梨　背筋さんが言いますか（笑）。

背筋　私のアイコンはまあいかにも狙ってるじゃないですか。梨さんのはバッターボックスにも立っていない感じで、見ているとじわじわ不安になってくる。ちなみに私のアイコンはお酒を飲んで大笑いしている自分の顔を加工ソフトで色々いじったものなので、SNS上で怖いとか不気味だとか言われるとこっそりショックを受けています（笑）。

梨　どこかから拾ってきたホラー画像かと思っていました。

背筋　梨さんのアイコンはご自分で描かれたんですか。

梨　そうですよ。高校時代は合唱部だったんですが、譜面が他の人と混ざるといけないので名前を書けと言われていたんです。本名を書くのもまどろっこしいので、あの白いぷにぷにしたキャラクターを描いていて、そのままXのアイコンに流用しました。数年前には『ミッドサマー』を観に行った直後のテンションで花の冠を描き足して、外すタイミングを失ったのでそのままに（笑）。そのくらい意識が低いんですよ。逆にかっちりトンマナ（トーン&マナーの略）を決めて運用していたら、SNSは続かなかったと思います。

背筋　雨穴さんのXのプロフィール欄には「かきつばた」と書かれていますよね。あれは一体。

雨穴　Xのプロフィール欄に何を書くかで、その人のセンスを測る、という文化が以前あって、私もセンス良く思われたかったので、「かきつばた」一本でいくことにしました。

背筋　つまり雨穴さんがセンスが良いと感じる要素は、「かきつばた」というワードに集約されていると。そういう理解で間違いないですか。

雨穴　まあ、そうなります。

梨&背筋　（笑）。

モキュメンタリーの次に来る新しい試みとは

――今後のご活動についても教えてください。これからもモキュメンタリーを作り続けていかれるのでしょうか。

背筋　二作目の長編は、モキュメンタリーとは違ったホラーを書きたいと考えています。もちろんモキュメンタリーも大好きなんですけど、絶対モキュメンタリーでなければというこだわりもないんですよね。自分にどういう実力があるのか、書いてみないと分からない面もあるのですが、色んな種類のホラーで皆さんを楽しませられたらと思います。基本、ホラーが好きでたまらない人間なので、ホラーが書ければモキュメンタリーでもそれ以外でもいいのです。

梨　モキュメンタリーだけを書き続けるのは厳しいと思いますよ。モキュメンタリーはあくまでひとつの手法であって、ジャンルではないですから。たとえばミステリー専門の作家、ホラー専門の作家は成り立つけど、モキュメンタリー専門の作家は相当ハードルが高い。自分もモキュメンタリーをやりつつ、別の手法に手を広げていきたいと思っています。それでも自分はモキュメンタリー専門でやるんだという方《かた》が出てきたら、全力で応援しますが。

雨穴　私も両方やっていく感じになると思います。お二人のように次々斬新なアイデアが浮かぶというタイプでもないですし、それよりは物語の面白さを重視してやっていきたいですね。

背筋　雨穴さんが原案を担当された『何かおかしい』というドラマもすごく面白くて、やっぱり雨穴さんはストーリーの人なんだなと思いました。雨穴さんがシナリオを担当した映画やドラマも、いつか見てみたいですね。『世にも奇妙な物語』なんてぴったりじゃないですか。

梨　時間やお金などの制約がないと仮定して、活字以外に手がけてみたい表現ジャンルはあります？

雨穴　私は立体を作るのが好きなので、その延長としてストーリー仕立てのお化け屋敷を作ってみたいです。かなりお金がかかるので実際は難しいでしょうけど。昨年開催された梨さんのイベント「その怪文書を読みましたか」は、すごく面白い試みでしたね。

梨　立体を作れるほど広いイベントスペースではなかったですし、何ができるかなとしばらく考えて、町で見かけるような怪文書がべたべた貼ってあったら面白かろうと。ありがたいことに怪文書を見るために、大勢の人が並んでくれました。

雨穴　並んだという体験も含めて、渋谷の町全体が怪文書展の一部になったような感覚がありました。

梨　本当は電柱広告を出したかったんですけど、怪文書を電柱に貼るのはまずいらしくて（笑）。でも今雨穴さんがおっしゃったような、町全体を使ったイベント

何かおかしい

動画配信サービス
U-NEXTで見放題配信中

2022年にテレビ東京系列で放送されたテレビドラマ。ラジオ番組「オビナマワイド」の生放送中、リスナーのお便りをきっかけに起こる、さまざまな奇妙な出来事を描く。遊園地の閉園式典の裏で拡散されるしゃべる人形の動画の話（「第1話 おしゃべり人形」）など、人間の残虐さや執念、無関心の恐ろしさをあぶり出すストーリーが多い。雨穴が原案・語り部を務める。

スペシャル鼎談

雨穴×梨×背筋

ができたら面白いですね。背筋さんはどうですか。

背筋　映画やゲームのホラーも好きなので、そういった方面でチャンスをいただけるなら挑戦してみたいなと思います。特にゲームは小説や映画とはまた違ったストーリーテリングができるので、すごく興味がありますね。いつか夢が叶えばいいんですけども。

――お三方の活躍もあって、日本のホラーは今、大きな盛り上がりを見せています。この先ホラーはどうなっていくと思われますか。

背筋　ホラーの行く末を占えるような才覚はないのですが（笑）、近年ホラーの裾野が広がっているのを肌で感じますね。マーケットが大きくなって、新しい作品が次々供給されるのはファンとして歓迎すべき状況。次は何を読もう、何を観ようと目移りするような時代が訪れてくれたら嬉しいですし、その末席で微力ながらホラーを盛り上げられたらいいなと思っている次第です。

雨穴　ホラーの作り手としては、まったく無名の人が一番強いんじゃないかという気がしています。たとえば有名なタレントさんが恐怖体験を語るよりも、どこの誰だか知らない人がいきなり怪談を語り出す方が、リアリティや不気味さがありますよね。今はSNSなどを使って、誰でも発信者になれる時代です。昨年背筋さんがいきなり登場して私たちを驚かせてくれたみたいに、どこから何が出てくるか分からないという状況になっていけば、ホラーももっと面白くなっていくんじゃないでしょうか。

梨　私がホラーを好きなのは、良い意味で何でもありのジャンルだからです。伝統に沿ったストーリーテリングをしても良いし、ギミックでそれを破壊してもいい。それを許容してくれる読者がいるジャンルだとも思います。二〇二四年は私も含めて、みんながモキュメンタリーの次に来るものを探っている時期ですね。何でもありのホラーという土壌で、これまでの常識を壊してくれるような作品が生まれてきたら嬉しい。「こんな新しいことを考えたぞ」という人が次々登場して、『近畿地方』のようなお祭りを二度三度と起こしてくれることを期待しています。

――そうなることを祈っています。今日はありがとうございました。

（二〇二四年三月、オンラインにて取材）

考察型展覧会 その怪文書を読みましたか

被害妄想や誤った思い込みから書かれた、意味不明な文章――怪文書。それら、日常に隣接する不可解な存在を読み解き、真意を探ろうという異様な展覧会を梨・株式会社闇が催した。会場には100種類を超える怪文書とその解説が展示されており、来場者はその物語背景を考察できる。チケットが入手困難になる大盛況を記録した渋谷展を皮切りに、広島、大阪、福岡、横浜でも開催され、書籍化もしている。

『その怪文書を読みましたか』
梨・株式会社闇（太田出版）

Contents

表紙 雨穴 表紙＆本文デザイン 稲岡聡平デザイン室 本文DTP 株式会社明昌堂
編集 梅田みなみ、関原遼平、田舞冴花、福崎亜由美 校正 青井美香

発表！

このホラーがすごい！2024 BEST20 国内編

問題作と話題作が同票1位！
種類の異なる恐怖がここに

	書名	著者／出版社	点数	本体価格
1位	禍《わざわい》	小田雅久仁／新潮社	192	1700円
1位	近畿地方のある場所について	背筋／KADOKAWA	192	1300円
3位	をんごく	北沢陶／KADOKAWA	143	1800円
4位	本の背骨が最後に残る	斜線堂有紀／光文社	89	1700円
5位	でぃすぺる	今村昌弘／文藝春秋	71	1800円
6位	最恐の幽霊屋敷	大島清昭／KADOKAWA	65	1900円
7位	梅雨物語	貴志祐介／KADOKAWA	50	1950円
8位	わたしたちの怪獣	久永実木彦／東京創元社	40	1800円
9位	きみはサイコロを振らない	新名智／KADOKAWA	37	1650円
9位	食べると死ぬ花	芦花公園／新潮社	37	1700円

	書名	著者	出版社	点数	本体価格
11位	対怪異アンドロイド開発研究室	饗庭淵	KADOKAWA	36	1650円
11位	6	梨	玄光社	36	1600円
11位	極楽に至る忌門	芦花公園	角川ホラー文庫	36	800円
14位	唐木田探偵社の物理的対応	似鳥鶏	KADOKAWA	34	1700円
15位	甲府物語　飯野文彦異色幻想短編集	飯野文彦	SF ユースティティア	32	2000円
15位	祝福	高原英理	河出書房新社	32	2200円
17位	ヨモツイクサ	知念実希人	双葉社	31	1680円
18位	涜神館《とくしんかん》殺人事件	手代木 正太郎	星海社	30	1700円
19位	小説家と夜の境界	山白朝子	KADOKAWA	29	1800円
20位	歩く亡者《ぼうもん》　怪民研に於ける記録と推理	三津田信三	KADOKAWA	28	1900円

21位 以下の作品(9点以上)

書名	著者	出版社	点数
一寸先の闇 澤村伊智怪談掌編集	澤村伊智	宝島社	25
すみせごの贄	澤村伊智	角川 ホラー文庫	23
蜘蛛の牢より落つるもの	原浩	KADOKAWA	21
百鬼園事件帖	三上延	KADOKAWA	21
みんなこわい話が大すき	尾八原 ジュージ	KADOKAWA	20
幻想と怪奇 ショートショート・カーニヴァル	『幻想と怪奇』 編集室 編	新紀元社	20
播磨国妖綺譚 伊佐々王の記	上田早夕里	文藝春秋	19
奇病庭園	川野芽生	文藝春秋	19
夜行奇談	東亮太	KADOKAWA	18
ゆうずどの結末	滝川さり	角川 ホラー文庫	18
乗物綺談 異形コレクションLVI	井上雅彦 監修	光文社文庫	17
アルマジロの手 宇能鴻一郎傑作短編集	宇能鴻一郎	新潮文庫	17
自由慄	梨	太田出版	16

書名	著者	出版社	点数
黄金蝶を追って	相川英輔	竹書房文庫	15
ジャンル特化型ホラーの扉 八つの恐怖の物語	株式会社 闇 編	河出書房新社	15
七人怪談	三津田信三 編著	KADOKAWA	14
死人の口入れ屋	阿泉来堂	ポプラ文庫	11
竜胆の乙女 わたしの中で永久に光る	fudaraku	メディア ワークス文庫	11
赫き女王 Red Alveolata Queen	北里紗月	光文社	10
外科室・天守物語	泉鏡花、 東雅夫 編	新潮文庫	10
ヴァケーション 異形コレクションLV	井上雅彦 監修	光文社文庫	10
花怪壇	最東対地	光文社	10
錠剤F	井上荒野	集英社	9
春のたましい−神祓いの記−	黒木あるじ	光文社	9
彼女の隣で、 今夜も死人の夢を見る	竹林七草	角川文庫	9
人間標本	湊かなえ	KADOKAWA	9

Information

集計方法について　アンケート回答者(国内41名)が選出した作品について、
1位=10点、2位=9点、3位=8点、4位=7点、5位=6点、6位=5点で集計しました。

対象作品について　奥付表記で2023年4月～2024年3月に発行された
ホラー作品を投票対象にしています。

国内編
2024年ホラー総評
解説＝朝宮運河

新たなホラーブームの到来を感じさせる、多彩な顔ぶれのベストテン

『このホラーがすごい!』刊行の背景には、間違いなく近年のホラーシーンの盛り上がりがある。国産ホラー小説は『ぼぎわんが、来る』の澤村伊智《さわむらいち》が登場した二〇一〇年代半ばあたりから新たなフェイズに移行し、才能ある書き手を次々と呼び込みながら、ジャンルとしての成熟度を増してきた。

ランキング結果を眺めるだけでも、その熱気は伝わってくるだろう。栄えある第一位に輝いたのは、『残月記』でブレイクを果たした作者による奇想横溢の短編集『禍』と、ネットでバズり書籍版もベストセラーとなった背筋のモキュメンタリー『近畿地方のある場所について』。どちらも二三年のホラーを象徴する話題作だが、幻想に特化した前者と、恐怖を追求した後者が同票数を得たことで、ホラーの輪郭が期せずして示されたのも興味深い。幻想と恐怖の両軸があってこそ、このジャンルは面白くなるのだ。

第三位の『をんごく』は横溝正史ミステリ&ホラー大賞を受賞した北沢陶のデビュー作。ベストテン作家中、二〇年代以降にデビューした新鋭は実に半数を占めており、(背筋、北沢陶、大島清昭、芦花公園、新名智)、ホラーの新時代到来をあらためて印象づける顔ぶれとなっている。一方、一九九〇年代から活躍する貴志祐介が、『梅雨物語』で健在ぶりを示してくれたのも嬉しいところ。ベテランと新人が入り乱れて腕を競う昨今のホラーシーンは、まさに壮観といっていい。

ミステリーやSFなど、隣接ジャンルで活躍する作家がホラーに挑戦するケースも増えてきた。ベストテン内では斜線堂有紀、今村昌弘、久永実木彦がそのパターン。才能の集まるところにジャンルは栄える。こうした越境は大いに歓迎したいところだ。

作家別得票数

※1作1票として集計　※アンソロジーは除く
※同点の場合は五十音順

順位	著者	投票者数
1位	小田雅久仁	22
1位	背筋	22
3位	北沢陶	18
4位	斜線堂有紀	11
5位	今村昌弘	10
5位	芦花公園	10
7位	大島清昭	9
8位	貴志祐介	7
8位	梨	7
10位	澤村伊智	6

1位

圧倒的な肉感！
五感をむしばむ異様なファンタジー

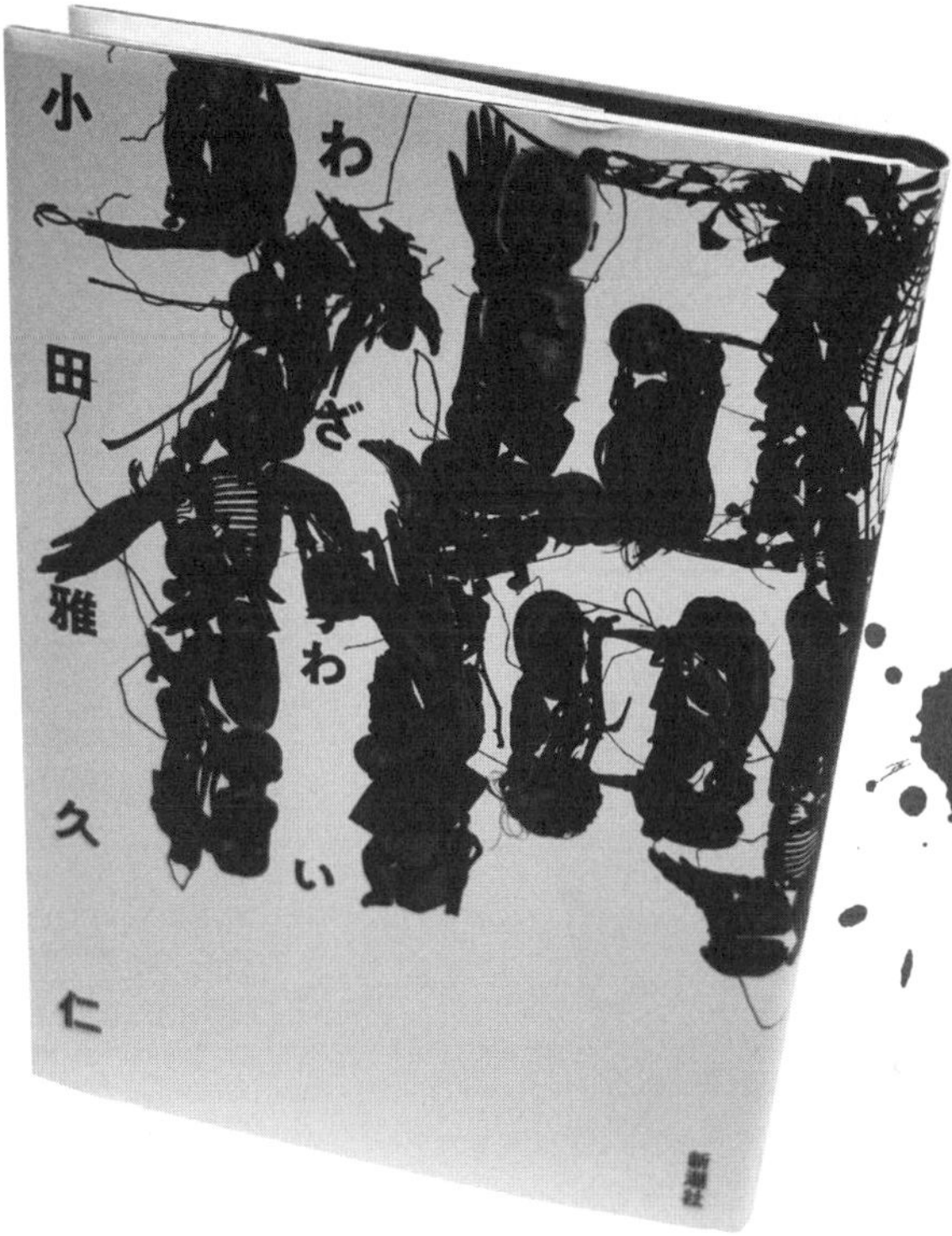

禍《わざわい》

小田雅久仁《おだ・まさくに》
新潮社

得点 192点

『残月記』で吉川英治《よしかわえいじ》文学新人賞と日本SF大賞をダブル受賞した著者の、七編からなる短編集。

失踪した恋人のアパートで出会った男から、「人の耳にもぐる」という奇妙な特技の話を聞く「耳もぐり」。貯金も職も失った三十三歳の女が、十万円の報奨金を目当てに新興宗教団体の儀式に参加する「髪禍《はっか》」。天涯孤独の男が半ば騙される形で、奇妙なものを培養する工場で働くことになる「農場」。どの短編にも、どうやって思い付いたのか不思議なほどの現実離れしたシチュエーションと、読み手が思わず自分の身体を触って「異変」を確かめてしまうようなリアリティが同居している。

現実では到底経験できない五感刺激を読み手に体感させる表現力は圧巻。一人称視点で綴られた文章は、まるで言葉を直接食べさせられているように生々しく濃密だ。

なにより、グロテスクな恐怖体験のはずが、不思議とどこか温かさと心地よさを感じてしまうことが恐ろしい。禍福は糾《あざな》える縄の如し、と言うが、本作の「禍」に巻き込まれた登場人物たちは、恍惚と至福の中にいるのかもしれない。

文＝豆タイム（『禍』『近畿地方のある場所について』『でぃすぺる』）、編集部ブームの火付け役！
インターネットを利用した
令和ならではの傑作

1位

近畿地方のある場所について

KADOKAWA

背筋《せすじ》

得点／192点

昨今のホラーブームを語るうえで、この作品を避けては通れないだろう。本作は、小説投稿サイトでの連載が初出である。ライターを営む著者が「近畿地方のとある山の周辺に心霊体験談が集中している件を調べてほしい」という依頼を受け、読者へ情報提供を呼びかけたという形式で投稿された。それを皮切りに、週刊誌の記事、インターネットの書き込み、関係者へのインタビューなど、様々な形で「近畿地方のある山」にまつわる不気味な体験談や取材記事が投稿されるうちに、あぶり出しのように真相が明らかになっていく。

なんといっても、インターネット特有のリアルタイム・インタラクティブ性を読者参加型の舞台として利用し、臨場感や当事者感を作りだした巻き込み型演出が出色であった。その上で、書籍化で「完成」させる構成には感嘆せざるを得ない。

単行本では、帯の「意味が分かると怖い」キャッチコピーや、巻末の取材資料の袋綴じなど、モキュメンタリー好きにはたまらない仕組みが満載。

何回か読み返して気づくような細かい伏線も張り巡らされており、一粒で何度も味わえる傑作だ。

3位

をんごく

北沢陶 きたざわ・とう

KADOKAWA

成仏できない霊の秘密とは……
大正時代を舞台に綴られる
正当派和風ホラー

得点 143点

大正時代末期の大阪を舞台とした、正当派の和風ホラー。呉服屋の息子として生まれ、画家を生業とする主人公・壮一郎《そういちろう》は、妻・倭子《しずこ》を震災をきっかけに亡くす。しかし、未練から巫女に降霊を頼んだことから、倭子の霊がこの世に残り続けていることが発覚。霊が現世から離れられずにいる、その裏には、忌まわしい秘密があった……。

怪異の謎が解き明かされていく過程には、息を呑むスリリングな場面や、不気味な要素が絡みあう。展開のテンポの良さに一気に読まされる作品だ。また、登場人物の描写にも厚みがあり、人間の情や、業の重みを感じさせる。特に、主人公が出会った、霊を喰って生きる顔のない存在「エリマキ」のユーモラスな造形は秀逸で、彼らが協力して謎を追っていくバディものとしても楽しめる。舞台となる大阪の方言を取り入れた、端整な文章も味があり魅力的だ。時代物だが堅さを感じさせず、自然と入り込めるだろう。

恐怖に満ちた物語だが、人々の抱く切ない想いには涙を誘われる場面も。優れたホラーでありつつ、人情味も兼ね備えた、奥深い一作。

物語を身に宿して語る者が、「本」と呼ばれるその国では、内容に「誤植」があるとされた「本」が燃やされて骨になっていく様子の見物が、人々の娯楽だった――奇抜な設定に謎解き風の趣向を取り入れた表題作「本の背骨が最後に残る」を始め、閉ざされた館での残虐な遊戯というクラシカルなモチーフに近未来的な発想を加えた「ドッペルイェーガー」、他者の痛みを肩代わりしながら踊り続ける美姫の運命を描く「痛妃婚姻譚《つうひこんいんたん》」、死に至る降雨に取り憑かれた少女と出会った少年の語る「『金魚姫の物語』」など全七編を収録。ミステリー、SF、恋愛小説とジャンルを横断して活躍する著者ならではの、バラエティに富んだ短編集だ。

各作を通じて、登場人物が感じる苦痛の描写には容赦がなく、読む側も痛みを覚えるほどの迫力に満ちている。だが、巧みな筆致は、物語に酔わされる悦《よろこ》びも感じさせてくれる。いつの間にか、残酷さに惹きつけられ、過激さを求める自分自身を、読者は知ることになるだろう。まるで、表題作の中で「本」が燃えるさまに熱狂する人々のように。そんな恐ろしさも、本書は秘めている。

4位

本の背骨が最後に残る

光文社

斜線堂有紀
しゃせんどう・ゆうき

奇抜な発想の数々が愉しめる
魅惑的な作品集
この痛みはクセになる！

得点 89点

5位

でぃすぺる

今村昌弘
いまむら・まさひろ
文藝春秋

得点　71点

『このミス』1位作家が描く
大人のためのジュブナイル
瑞々しいスリルに胸が高鳴る！

小学生の時、初めて江戸川乱歩の「少年探偵団シリーズ」を読んだ時のような新鮮な興奮を、再び味わえるとは思わなかった。かつては鉱山で栄え、今は寂れゆく過疎の町。普段は接点のない小学校の同級生三人が、一年前に町で起きたある奇妙な殺人事件の真相と、そのダイイングメッセージとして残された、町にまつわる七不思議の謎を追うことになる。

設定はジュブナイル青春譚や児童向け怪談の王道をゆくが、その実は読書家の大人をも唸《うな》らせる、緻密に練り込まれたエンターテインメント小説だ。

共通点の少ない三人が徐々に絆を育《はぐく》む中で死の匂いも色濃くなっていく不穏さと、町の外へは逃げられず、大人には取り合ってもらえない緊迫感。小学生ならではの行動制限と強い友情が、逃げ場のない恐怖を生み出している。そして、読者の鼓動を早めるはホラー要素のみならず。町中を回り証拠を集め、時には危ない橋を渡り、謎が解けた時の爽快感はたまらない。ホラーか、ミステリーか、冒険譚か。本作のジャンルを問うこと自体、野暮というものだろう。

6位

最恐の幽霊屋敷

大島清昭
おおしま・きよあき

KADOKAWA

得点／65点

その屋敷は死を招く——
息継ぐ間もなく襲いかかる
戦慄必至の物件怪異譚

近年さらに注目を集める不動産ホラー。「幽霊屋敷」は王道的題材だが、本作の特徴は「『最恐の幽霊屋敷』という触れ込みで短期の入居者を募っている」点だろう。物語は、幽霊を信じない探偵に「最恐の幽霊屋敷」の調査が依頼される所から始まる。その屋敷では入居者の不審死が相次ぎ、さらには「訪れた霊能者は全員死ぬ」という。将来を約束したカップル、オカルトライター、心霊番組のディレクター、元アイドル、映画監督とホラー作家。滞在する者を襲う怪現象と屋敷の歴史を綴るルポを手がかりに、探偵は真相を掴むことができるのか。濃厚な怪異譚の数々は、妖怪や幽霊の研究を行なう作者ならでは。「最恐」が名指すものを、ぜひその目で確かめてほしい。

7位

梅雨物語

貴志祐介
きし・ゆうすけ

KADOKAWA

得点／50点

元教師の老俳人のもとに「亡き兄が遺した句集を読み解いてほしい」と、かつての教え子が訪ねてくる。一見すると凡庸な句集には、ある秘密が隠されていた（皐月闇）。黒い蝶に誘われ、花魁《おいらん》と戯《たわむ》れる夢を見る男。「黒い蝶が、お主を導く先は、地獄の他ない！」という警告を暗示するように、夢の中の遊郭も荒廃してゆき……（ぼくとう奇譚）。庭を埋め尽くす、色とりどりの見知らぬキノコ。やがて家までをも侵食するキノコから「何らかの意思」を感じ取った男は……（くさびら）。いずれもキーワードから謎をひもとく展開で、作者の博覧強記ぶりが発揮されている。真相に迫るほど息苦しさを覚え、じめっとした余韻が後を引く。人間の罪と報いを巡る三中編。

不穏な予感にせり立てられる
ほの暗く、じっとり湿った
人怖《コワ》ミステリー

8位

家に帰るとお父さんが死んでいた
それと同時に怪獣が現れた——
退廃の中に希望を見出すSF短編集

わたしたちの怪獣

東京創元社
久永実木彦
ひさなが・みきひこ

得点／40点

妹の殺人を隠蔽するため、怪獣が暴れる東京に父親の死体を棄《す》てに行く表題作「わたしたちの怪獣」。時間跳躍が可能になった世界で、「なかったこと」になった死亡事故の動画を投稿する人物の心理に迫る「ぴぴぴ・ぴっぴぴ」。誰にも言えない秘密を抱える孤独な少女が、吸血鬼に出会う「夜の安らぎ」。ゾンビから逃れるため映画館に籠城する人々を描く「『アタック・オブ・ザ・キラー・トマト』を観ながら」。

全編に共通するのは、主人公や世界の破滅が描かれること、そしてその世界がもともと絶望に満ちた閉塞的なものであること。怪獣が街を蹂躙《じゅうりん》する様にはある種の救いさえ感じられるが、その中にあっても人々の優しさや絆を美しく描いている点が見事。

9位

きみはサイコロを振らない

KADOKAWA
新名智
にいな・さとし

得点／37点

友人の死を忘れられずにいる高校生・志崎晴《しざきはる》。つねにストップウォッチを持ち歩き、計測した数字によって行動を決めていた。ある日、「遊ぶと死ぬ」ゲームを探している同級生・霧江莉久《きりえりく》に誘われ、呪いの研究をおこなう大学院生・雨森葉月《あめもりはづき》とともに、不審死を遂げた男性が遺した大量のゲームを検証することに。以降、日常を黒い影がまとわりつくようになり、自身が「呪われた」ことを確信した晴は、呪いを解くために奔走する——ホラーミステリー界新鋭の作者による長編小説第三作目は、少年が自身の過去と向きあい前進する過程を描いた青春小説でもある。静謐な語り口だが、呪いの描写にはゾクリ。ひとさじの切なさが入り混じる、青春ホラーミステリーだ。

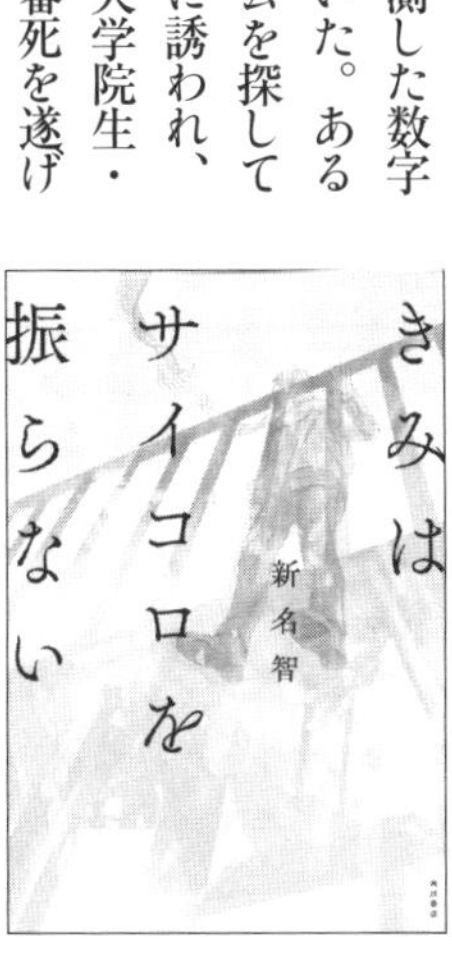

傷を抱えた少年たちは
死の連鎖を巻き起こす
「呪いのゲーム」を止められるか

恐ろしいほどに綺麗な男
彼がもたらす「贈り物」で
全員の運命が狂っていく

9位

食べると死ぬ花

芦花公園
ろかこうえん
新潮社

得点／37点

やることなすことすべてに文句をつけてくる義母と、理解できない言語でしか話さない娘。夫も頼りにならず、絶望の中で生きる美咲《みさき》の前に現れたのは、久根《くね》ニコライという美しい男だった。その後も、胡散臭い自己啓発セミナーに通い詰める男、幼い息子を亡くした女、妹に搾取され続ける姉……。久根は追い込まれた人々の前に現れて、不可思議な力を持つ「贈り物」を授けていく。人智を超えた存在に翻弄される人々は、やがてぞっとするような惨劇を引き起こす——。

さまざまな人間の苦渋を生々しく描く筆致の「イヤさ」が素晴らしく、そしてそれらが繋がった挙《あげ》句《く》に至るラストは本当におぞましい。とにかくイヤな気分になりたい人にぴったりの一冊だ。

11位

対怪異アンドロイド開発研究室

饗庭淵
あえばふち
KADOKAWA

得点／36点

白川《しらかわ》研究室が開発した、「怪異」調査にうってつけのアンドロイド・アリサ。彼女が山奥の謎の廃村から持ち帰ったデータを見てみると……。呪いや祟りを受け付けず、ゆえに恐怖も感知しない高性能ＡＩが、予測不能な「怪異」の数々に挑む。

11位

6

梨
なし
玄光社

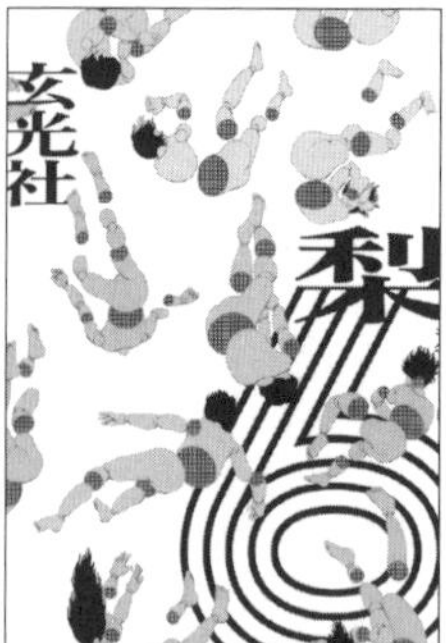

得点／36点

幼少期に訪れた異常化してゆくデパートの屋上遊園地、峠道に存在した奇妙な石塔、山道の途中でのみ受信できるラジオ、とある宗教団体のセミナーのためのガイドライン、幽霊の死体が憑く家……６つの怪談が語られた時、真の恐怖が訪れる。

14位

唐木田探偵社の物理的対応

KADOKAWA
似鳥鶏
にたどり・けい

得点／ 34点

都市伝説が実体を持ち、人々を襲うようになった。対処方法はただひとつ、「殴ればいいの。思いきり」。怪異駆除の専門業者・唐木田《からきだ》探偵社に入社した「僕」が変人揃いの同僚たちとともに物理攻撃で怪異に立ち向かう、アクション×ホラー！

11位

極楽に至る忌門

角川ホラー文庫
芦花公園
ろかこうえん

得点／ 36点

帰省する友人に付き添い、四国の山奥にある小さな村を訪れた大学生の隼人《はやと》。優しく出迎えられたのも束の間、「頷《うなず》き仏を近づけた」という言葉に顔色を変えた友人はその夜失踪してしまう。果たして村に伝わる禍々しい因縁と怪異の正体とは？

15位

祝福

河出書房新社
高原英理
たかはら・えいり

得点／ 32点

自傷行為を繰り返す高校生・成瀬美礼《なるせみれい》は、外出の折に痴漢に遭遇し、被害に遭いかけていた大学生のアサミを救う。それをきっかけに美礼がブログ上に書いていた言葉に信者が生まれ、時を超えて宗教となる。言葉に祝い呪われた９つの物語。

15位

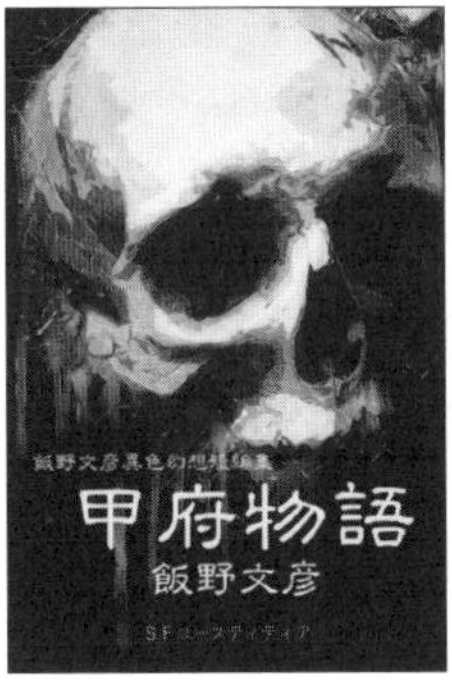

甲府物語 飯野文彦異色幻想短編集

SFユースティティア
飯野文彦
いいの・ふみひこ

得点／ 32点

井之妖彦《いのあやひこ》のもとを訪ねてきた名も知らぬ幼い少女、早朝のバス停で息子を待っている老婆、山間の駅で行なわれる奇妙な祭り、故郷の川に飛来した鴉……この甲府は現実か、幻想か。酩酊した脳から紡ぎだされた、虚実入り混じる16編の奇譚。

17位

ヨモツイクサ

双葉社
知念実希人
ちねん・みきと

得点／ 31点

アイヌの人々に畏《おそ》れられてきた禁域・黄泉《よみ》の森で、リゾート施設の工事作業員６名が忽然と姿を消した。その付近では７年前にも神隠しが起きているが、２つの事件は繋がっているのか。行方不明の家族を捜す佐原茜《さはらあかね》は謎に迫ろうとするが……。

18位

涜《とく》神《しん》館《かん》殺人事件

星海社
手代木正太郎
てしろぎ・しょうたろう

得点／ 30点

“妖精の淑女《フェアリー・レディ》”の異名を持つイカサマ霊媒師・グリフィスは、帝国が誇る本物の霊能力者たちとともにかつての悪魔崇拝の牙城・涜神館《とくしんかん》に招かれた。彼らは交霊会によって館の謎を解こうと試みるが、超常現象の渦巻く中で次々と殺害され……。

19位

小説家と夜の境界

KADOKAWA
山白朝子
やましろ・あさこ

得点／ 29点

「小説家には変人が多い」。現実に小説内世界を構築することで小説を書く作家、筆は異様に速いが自分の小説を嫌悪する作家、頭の中に５人の劇団員を住まわせている作家など、小説家の「私」が集める、出版業界の世にも奇妙な７つの体験談。

20位

歩く亡《ぼう》者《もん》 怪民研に於ける記録と推理

KADOKAWA
三津田信三
みつだ・しんぞう

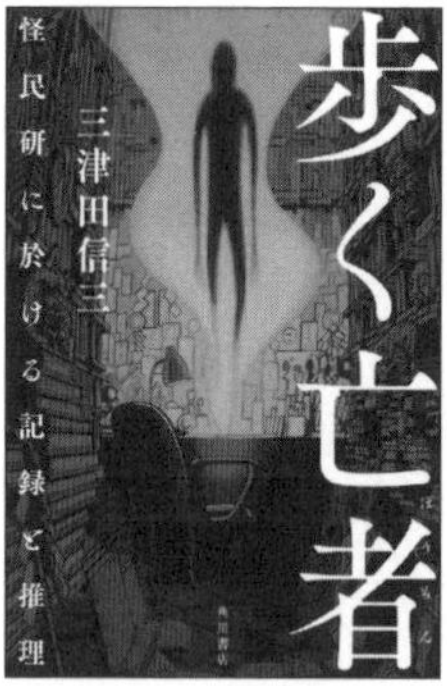

得点／ 28点

怪異民俗学研究室を訪ねた愛《あい》は、講師である刀 城《とうじょう》言耶《げんや》の留守を預かる院生の天弓《てんきゅう》と出会った。愛が遭遇した怪異について語ると、彼は現実的な解釈をいくつも提示してみせ……。「怪民研」に持ち込まれる事件の謎に、名探偵の助手たちが挑む！

国内編 1位

禍《わざわい》

小田雅久仁《おだ・まさくに》

『このホラーがすごい!』第一位に輝いたのは、小田雅久仁『禍』。誰にとっても身近な日常と地続きながら、突如として異世界に引きずり込まれるような七つの物語を集めたこの作品集は、多くの読み手を慄《おのの》かせ、嫌悪させ、そして驚愕させた。中毒性たっぷりのこの作品はいかにして紡がれたものなのか——。創作の舞台裏を著者に直撃した。

取材・文＝友清哲

意識したのはホラーよりも〝怪奇小説〟

——『このホラーがすごい!』第一位、おめでとうございます。まずは率直なご感想から聞かせてください。

小田　ありがとうございます。これはもう、単純に運が良かったと言いますか、去年たまたま初めて怪奇小説をまとめた短編集を出したら、ちょうどこういうランキング誌ができて評価していただけたという、なんともラッキーな話だと思っています。今年はホラーのムックが出るという話は聞いていたので、少しでも作品を取り上げてもらえるといいなと期待はしていたのですが、本当にありがたいですね。

——本書では広義の「ホラー」全般が投票対象となっています。今回の『禍』に所収された七作品は、最初からホラーを意識して執筆されたものですか?

小田　私自身はホラーという表現ではなく、先ほども口にしたように、〝怪奇小説集〟と言っているんです。というのも、ホラーというとどうしても恐怖小説を意味することになると思うのですが、今回私が書いた作品はどれも、読み手を怖がらせるよりも、怪しくて奇妙な小説を書こうという視点からスタートしているからです。そもそも私は日本ファンタジーノベル大賞から世に出た作家ですし、ダークファンタジーと呼ぶのが一番しっくりくるのかもしれません。

——所収の七作品のうち、最初に発表されたのは「耳もぐり」という作品で、発表は二〇一三年、実に十一年前になります。当時からすでに、こうして一冊の作品集にまとまることを想定されていたのでしょうか?

小田　いえ、「耳もぐり」は「小説新潮」でファンタジー特集が組まれた際にお声掛けいただいて書いた作品で、そこでこういうダークファンタジーを書いたのも、本当にたまたまなんです。「耳もぐり」を書き上げてから、いつかこうした怪奇小説で一冊にまとめられるといいな、となりました。

――果たして、今回の『禍』は「耳」から始まり「目」や「髪」、「肌」など、それぞれ人体のパーツを題材とする、奇妙で不気味な物語の連作集になりました。

小田　怪奇小説という縛《しば》りでシリーズ化したいと思いついた時に、もうひとつ何か共通するものがあると書きやすいなと考えました。最初が「耳」だったので、体のパーツでやろうとなったのはわりと自然な流れでしたね。こうした縛りがあったほうが私としては書きやすいですし、何より何の繋がりもない作品を集めるよりも、出版社が売りやすいのではないかとも思っていました（笑）。

――小田さんといえば、二〇二一年に発表された『残月記』の時も、本当は月火水木金土日……と暦縛りで連作をやろうとしていたエピソードが有名です。

小田　そうですね（笑）。結局、最初の「月」の物語が長くなり過ぎてしまったので、月をテーマにもう二本書いて、中編集に切り替えた経緯があります。想定より長くなってしまうのは、私にとってはよくあることなのですが。

――こうして題材に縛りを設けることが枷《かせ》になり、書きにくくなってしまうことはありませんか?

小田　それはやはりありますよ。今回の『禍』にしても、後になればなるほど苦しかったです。たとえばミュージシャンの方でもきっと、「なんだか前に作った曲と似ているな」と作品を没にすることがあると思うのですが、ストーリーの流れや細かなアイデアが一定の傾向に偏っていくことは、後になればなるほど増えていきます。いかにバリエーションを維持するかというのは、かなり気を遣わなければならなかった部分ですね。

共通するのは陰キャがトラブルに巻き込まれる図式

――今回の七作品はいずれも、怖いというよりはゾワゾワする、五感に訴えかける嫌悪感のようなものが共通していると思います。こうした筆致は意識的なものですか。

『禍』で語られる7つの物語

テーマ「口」

多目的トイレで出くわした女は、本を貪り食っていた。その姿を忘れられず、家の蔵書を口に含んだ男が見たものとは――。

「耳もぐり」

テーマ「耳」

指を奇妙に曲げて他人の耳の中にもぐりこむ。奇妙な特技について語り始めた男の話は、驚くべき真実に辿りつく。

「喪色記」

テーマ「目」

他人の視線が苦手な男は、繰り返し奇妙な夢をみる。二十八になった彼の「目」の前に、ある日、夢に出てくる女が現れた。

禍 ［ 特別インタビュー ］ 小田雅久仁

小田　そうですね。読者が嫌悪感を催すような作品をやりたいと、特に明確に意識したのは、七つの作品のうちの「髪禍《はつか》」が最初でした。私自身、子どもの頃から散髪した髪の毛が床に散らばっている光景が、なんとも言えず気持ち悪くてイヤだったので、そんな当時の嫌悪感を強く表現できればと思いながら書いた作品です。

――たしかに「髪禍」では、冒頭で切り落とされた髪の毛について主人公が、《鋏で切りとられて床に落ちた途端、もうすっかり死体みたいに見えてくる》と、死の陰を見出す描写が非常に印象的でした。

小田　それこそまさしく、子どもの頃からの私の感覚そのものです（笑）。こうした自分の体験や感情が投影された表現が今回は多くて、たとえば「農場」という作品の鼻を削ぎ落とす描写にしても、削がれた鼻がたくさん集まっている状況を想像し、自分でも嫌な気持ちを味わいながら書いていました。今回はとにかく、誰もが想像してゾワゾワするものを描くことに徹したつもりです。

――本のページを破いて食べる女が登場する「食書」も、実に不気味な物語でした。食べたページの世界に入って行けるという設定は、本読みとしては羨ましいところもありますが……。

小田　これは「口」を題材に何を描こうかと考えたところ、何を食べさせたら面白いかという発想になり、結果こうした物語になりました。私の作品では、主人公が奇妙で不思議な出来事に巻き込まれて転落していく、というのはわりとよくやる構図なんです。

――確かに今回の作品集でも、心に何らかネガティブなものを抱えている市井の人物に視点を求めた物語が多いですね。

小田　それは私自身がどちらかというと陰キャというか、ネガティブな人間だからなのだと思います。他の方の作品を読んでいても、そういうタイプの主人公のほうが感情移入しやすいんですよ。逆に、陽キャは自分と真逆なので描くのは苦手です。もしかすると今後、自分がとてつもない売れっ子作家になるなどして、何不自由ない立場になれば根の明るいキャ

「柔らかなところへ帰る」

テーマ「肉」

路線バスで出会った、大柄な肥えた女。痩せた女が好みだったはずの男は、その日から肉への渇望に囚われるようになり――。

「農場」

テーマ「鼻」

赤黒い液体に満ちた巨大なタンクの中で、大量の人間の「鼻」が泳いでいる。異様な光景を見せる「農場」で青年が選んだ道とは？

「髪禍」

テーマ「髪」

「髪」を信奉する宗教団体。その儀式にサクラとして参加した女は、想像するだに恐ろしい、悪夢のような事件と直面する。

「裸婦と裸夫」

テーマ「肌」

電車に現れた全裸の男。彼が触れた人間も呼応するように服を脱ぎ、脱衣症状に侵された人々はゾンビのように増殖していく。

禍
[特別インタビュー]
小田雅久仁

ラも描きやすくなるのかもしれませんが（笑）。

——他方、小説家を主人公に据えた「喪色記」の中では、《物語は書くものではなく、書かされるもの、あるいは書かせてもらうもの》という記述がありました。物語は完成されたものとして宙を漂っており、ある日、書き手を名指しして降りてくるものである、と。これも書き手としての小田さんが、日頃から感じているイメージなのでしょうか。

小田　これは実際によくある感覚なんですよ。書き始める前に構成など細部まで考えていたはずなのに、書き終えてみるとなぜこういう話を書いたのか自分でもよくわからない、といったようなことが。まさに、物語が頭の中にすっと降りてきたような感じですね。こうなると、本当にそれが自分の力で書いた作品なのかすら実感が持てなくなることがあって、もともとどこかに存在していた物語が、「よし、お前が書け」と私を逆指名してきたのではないかと感じるんです。

——今回の作品集の場合は、かなりおぞましい映像が降りてきたのではないかと想像できますね……。

小田　そうなんですよ。ビジュアル先行型と言いますか、降りてきた映像に対して背景を掘り下げ、物語として構築していくような書き方をすることは多いです。先程の「髪禍」などはその典型ですね。

——ずばり、〝おぞましさ〟を読者に伝えるコツは何でしょうか。

小田　ビジュアルが使えず、文字だけでやらなければならないので難しいのですが、ひとつは登場人物の内面にとことん寄り添い、振り落とされないようについていく、ということでしょうか。読み手によってはしつこく感じることもあるかもしれませんが、場面場面に合わせて丁寧に描写するように意識しています。

ファンタジーを描く下地になったもの

——ところで、先ほど「自分がとてつもない売れっ子作家になったら……」というお言葉がありました。小田さんは寡作ではありますが、ここまでのすべての作

小田雅久仁

Profile
1974年宮城県生まれ。関西大学法学部政治学科卒業。2009年『増大派に告ぐ』で第21回日本ファンタジーノベル大賞を受賞し、作家デビュー。

2009年
第二十一回
日本ファンタジーノベル大賞
『増大派に告ぐ』

2013年
第三回 Twitter 文学賞
国内編第一位
『本にだって雄と雌があります』

2021年
二〇二二年本屋大賞ノミネート
第四十三回吉川英治文学新人賞
第四十三回日本SF大賞
『残月記』

2023年
『このホラーがすごい！
二〇二四年版』国内編 一位
『禍』

小田雅久仁　作品一覧

『残月記』
（双葉社）

“月昂”と呼ばれる奇妙な感染症に侵された若者は、歪んだ統治のなされた世界で運命に抗う（残月記）。「月」をモチーフにした3つの作品集。

『本にだって雄と雌があります』
（新潮文庫）

相性のよい本を並べると、本同士が子供――「幻書」を産む。そんな「幻書」を蒐集していた亡き祖父の日記を遡り、一族の歴史を語り継ぐ物語。

『増大派に告ぐ』
（新潮社）

父親に虐待される14歳の少年と、誇大妄想にとりつかれたホームレスの男。交差する2つの孤独な視点は、やがて衝撃的な結末へと辿りつく――。

品が注目されている、十分な人気作家だと思いますが、あまりその意識はありませんか？

小田　それはまったくないですね。とにかく寡作にも程があると言いますか（苦笑）、そもそも満足に作品を世に出せていないわけですから。書くのが早い作家、あるいは次々に作品を創作できるクリエイターに対する憧れは人一倍ですよ。作品ももっと売れてほしいですし、まだまだです。

――ただ、寡作ではあっても、読者としては待った甲斐のある重厚な筆致の作品が多いです。

小田　私の場合、書くのに時間がかかるのは大前提として、さらに一度書いたものを繰り返し何度も直すので、どうしてもお待たせしてしまうんです。手書きの時代にはできなかったことでしょうが、いまはパソコンなので、直そうと思えばいつまでも書き直せてしまいますからね。これだけ時間をかけていても、十分にやり尽くしたという感覚を得たことは一度もありません。

――今回の『禍』は十三年かけて綴った作品を集めたものですが、振り返ってみて最も苦労したポイントは何でしょう？

小田　一番は先ほども触れましたが、似たような物語にしないための、書き分けの部分です。実際、最後に書いた「喪色記」（二〇二二年発表）はかなり難産した作品で、細かいアイデアはほとんど消費してしまっていたので、「あれも使えない」「これももう使えない」と、非常に苦労しました。

――そうしたアイデアを求める際、小田さんにとってのインプットの源は何ですか。

小田　まさにそれが問題で、一時期は勉強のためによく映画を観るようにしていました。有名どころでは『エクソシスト』とか、スティーヴン・キング原作のものとか。あと、意外に思われるかもしれませんが『ドラえもん』などの漫画にもたくさん影響を受けていると思います。映画版の『大長編ドラえもん』のように、異世界で何かが起きるというのはファンタジーとしては基本的な手法のひとつで

『後宮小説』
酒見賢一（新潮文庫）

槐暦元年、中国。14歳の田舎娘・銀河は「三食昼寝付き」という噂に惹かれ、宮女になるため女大学で学ぶことに。陰謀渦巻く宮廷の中、気づけば銀河は正妃の座を射止めていた!? 1989年に第1回ファンタジーノベル大賞を受賞した作品。

すし、先日『小説現代』に書かせてもらった「越境者」という作品などは、扉を開けたらまったく別の世界へ行ってしまうという、「どこでもドア」そのもののアイデアを用いています。

――なるほど。小田さんがもともとファンタジーのジャンルで作家を目指されたのも、『ドラえもん』の影響が少なからずあった、と。

小田　下地としては間違いなくあったと思います。それと、私が高校生の頃に酒《さけ》見賢一《みけんいち》さんの『後宮小説』がアニメ化されて、それがすごく面白くてファンタジーの世界に惹かれたというのもあります。

――作家になろうと考えたのも、そうした原体験があってのことですか。

小田　そうですね。子どもの頃は小説家よりも漫画家になりたくて、学生時代には四コマ漫画を描いて雑誌に投稿し、奨励賞をもらったこともありました。ただ、残念ながら絵が上手くなかったですし（笑）、いまにして思えば漫画家のような体力勝負の職業は、私には向いていなかったと思います。それで自然と小説に目が向くようになり、実際に小説を書き始めたのが二十八歳の時でした。

――そして『増大派に告ぐ』で日本ファンタジーノベル大賞を受賞されたのが、三十五歳の時です。

小田　この七年の間は、就職もしていましたので、ただひたすら小説を書いていたわけではないのですが、四作品くらい書いて応募したように記憶しています。

作品すべてが冠有り！ 作家・小田雅久仁の今後は？

――ところで、デビューからここまで四作品を発表してきた小田さんですが、今回の『禍』が『このホラーがすごい！』第一位の称号を得たことを含めれば、無冠の作品はひとつもありません。デビュー作『増大派に告ぐ』が日本ファンタジーノベル大賞、二作目『本にだって雄と雌があります』がTwitter文学賞国内部門第一位、そして『残月記』が吉川英治文学新人賞と日本SF大賞を同時受賞。

――これは凄いことでは!?

小田　運が良かったですよね。本当にたまたまだと思います。実のところ、ミュージシャンの方のようにライブでお客さんと触れ合うような場がないので、私の作品にファンがいるのかどうかもよくわかっていないですから。エゴサーチもしませんし、読者の声を目にする機会がほとんどないんですよ。

――小田さんはSNSの類《たぐ》いも一切使いませんね。

小田　そうですね、面倒くさがりなので始めたところでまず続けられないと思います。それに、最初から手を出さなければ、不用意な一言で炎上することもありませんからね（笑）。

――しかし、小田さんの動向がわからず、いつ新作が読めるのかヤキモキしている読者も多いと思います。

小田　『残月記』の時は九年も空いてしまいましたが、これは単に遅筆であったり、ちょっと体調を崩したりといった理由によるものでした。でも、幸いにしていろんな出版社から声をかけていただいていて、これまであちこちに書いてきたものが、ようやく一冊にまとまるようになってきました。今後はもう、九年もお待たせしてしまうことはないと思います。

――今回はこうしてホラーのジャンルでご登場いただいていますが、今後の作品の方向性についてはいかがでしょうか。

小田　純粋にホラーで括《くく》られるものを書くことはあまりイメージしていないんです。どちらかというとファンタジー寄りで、現実的なシチュエーションから始まって非現実に巻き込まれていくようなパターンを、もうしばらく書いていくのではないかと思います。でも、誤解しないでいただきたいですが、こうしてホラーとして作品を評価していただけるのは、私としてもとても嬉しいことです。

――『禍』の帯ではゲームクリエイターの小島秀夫氏が、小田さんについて「文藝界の〝禍〟になる」と表現されていたのが印象的です。

小田　さすがと言いますか、面白いですよね（笑）。『禍』というタイトルは自分で考えたものなのですが、人によってはけっこう忌み嫌われそうな言葉で、こんな本を家に持ち帰ったら不吉なことが起こりそうだと考える、繊細な方もいるかもしれません。でも、そういうところも含めて、人によって感じ方が分かれたり、七つの作品それぞれで評価がばらけたりするのも、私としては興味深いですね。

――それでは最後に、今後の展開について聞かせてください。

小田　長編を書いてほしいという声をよくいただくのですが、現時点では中編や短編の依頼をこなすのに精一杯の状況で、自分が次に何を書きたいのかを考える余裕もないのが正直なところです。もともと書きたいテーマを次々に思いつくタイプではなく、毎回かなり苦しみながら、無理やりアイデアをひねり出しているので、脳みそは常に自転車操業の状態なんです。でも、それだけ作品を求めてもらえるのは嬉しく、ありがたいことですから、いまはとにかくやれるかぎりのことをやりながら、自分らしい方向性を模索していければと思います。

――次回作も大いに期待しています。本日は貴重なお話を、ありがとうございました。

（二〇二四年四月、オンラインにて取材）

『禍』はコミカライズも配信中（電子書籍のみ）なのでお見逃しなく！

『禍』
原作／小田雅久仁
漫画／山本貴大、ジヨンヌ
（バンチコミックス）

国内編 1位

近畿地方のある場所について

背筋《せすじ》

背筋 メッセージ

第四の壁という言葉をご存知でしょうか。もともとは、演劇の世界の言葉で、舞台と観客を隔てる壁のことを指します。もちろん、実際に壁があるわけではなく、舞台上の虚構の世界とそれを見ている観客がいる現実世界との間の隔たりを表しています。それは、映画や小説の世界でよく使われる言葉でもあります。

私は『近畿地方のある場所について』において、モキュメンタリーと呼ばれる手法で虚構と現実を曖昧にすることで、第四の壁を破壊しようと試みました。その試みが成功したのかはわかりません。ただ、こうしてこの原稿を書かせていただいているということは、少なくない方に楽しんでいただけたのだと思います。

つい最近まで一介のホラーファンでしかなかった私にとっては、本屋に並ぶたくさんのホラー作品は、別世界の人が書いた、別世界のものでした。「本を出しませんか」、そう言われたとき、第四の壁を破壊されたのは、私のほうでした。そして、今現在も、多くの方に自分が書いたものを読んでいただいている。まるで醒めない夢のなかにいるような、自分が虚構の世界に迷い込んでしまったような、そんな毎日を送っています。

思えば、本当にたくさんの方が、私を醒めない夢に導いてくださいました。KADOKAWAの編集担当、和田さんを中心に、作品の世界観をご理解いただきながら、それを一冊にまとめていただきました。薄気味悪いビジュアルと日々対峙いただいたデザイナーの横山さんには少し申し訳なくも思います。細部まで気を配っていただいた校閲、難しい加工に挑んでいただいた印刷、精力的に書店を回っていただいた営業、手書きポップなどで大きく展開いただいた書店、お世話になった関係者の方々にはどれだけ感謝してもし足りません。そしてなにより、この作品を読んでくださった皆様、本当にありがとうございます。皆様に応援いただいたからこそ、何者でもない私が、「背筋」として世に出ることができたのだと思います。

この先も、私は厭な物語を書き続けま

す。もし、これが私の夢であっても、醒めずに済むように。そして、皆様のホラーライフに華を添えることができるように。次作以降も書店で、ネットで、皆様に見つけていただけるよう、精進してまいります。

担当編集者／和田寛正　メッセージ

『近畿地方のある場所について』担当編集者の和田と申します。背筋先生、『このホラーがすごい！』国内編一位獲得おめでとうございます。また応援していただいた皆様ありがとうございます。

　さて、編集者視点での作品制作裏話をしてほしいとのご依頼をいただきましたので、幾つかこだわったポイントをご紹介したいと思います。

　まず装丁につきましてですが、作品の舞台となった場所で撮影した写真を加工したものとなっています。梅雨時期だったこともあり、撮影が何度も延期になり、刊行が間に合わないのではないかと焦ったのを覚えています。

　また紙書籍は鳥居を印象づけるために、グロスニスとマットニスの抜き合わせ加工になっています。角度を変えると装丁が部分的に光を反射するのがおわかりになると思います。これはたまたま社内で目にした別作品でこの加工の存在とかなり細かくニスの塗り分けができることを知り、採用しました。

　次に本文部分についてですが、ネタバレ回避とWEB連載時のライブ感を少しでも再現したいという思いから目次をつけませんでした。さらに読後感を大切にしたいと思いまして、本文の後、巻末に広告を入れずに済むように、背筋先生に本にできるちょうどいい総ページ数に収まるよう行数の調整もお願いしました。

　書籍をお持ちの方は是非これらのこだわりポイントもチェックしてみてください。

　そして現在、背筋先生の長編第二作目に加え、『近畿地方のある場所について』をさらにお楽しみいただける企画・コンテンツを鋭意準備中ですので、こちらもどうぞ楽しみにお待ちください。

2023年11月にJR池袋駅北改札外北通路にて掲出された広告。世界観を伝えるためこだわりぬかれた写真が使用されている。

このホラーマンガがすごい！

ホラーを語る上では、漫画作品の盛り上がりも欠かせない。現在のトレンドを担う五つの話題作を紹介しよう。

選書・文＝緑の五寸釘

裏バイト：逃亡禁止

田口翔太郎
小学館

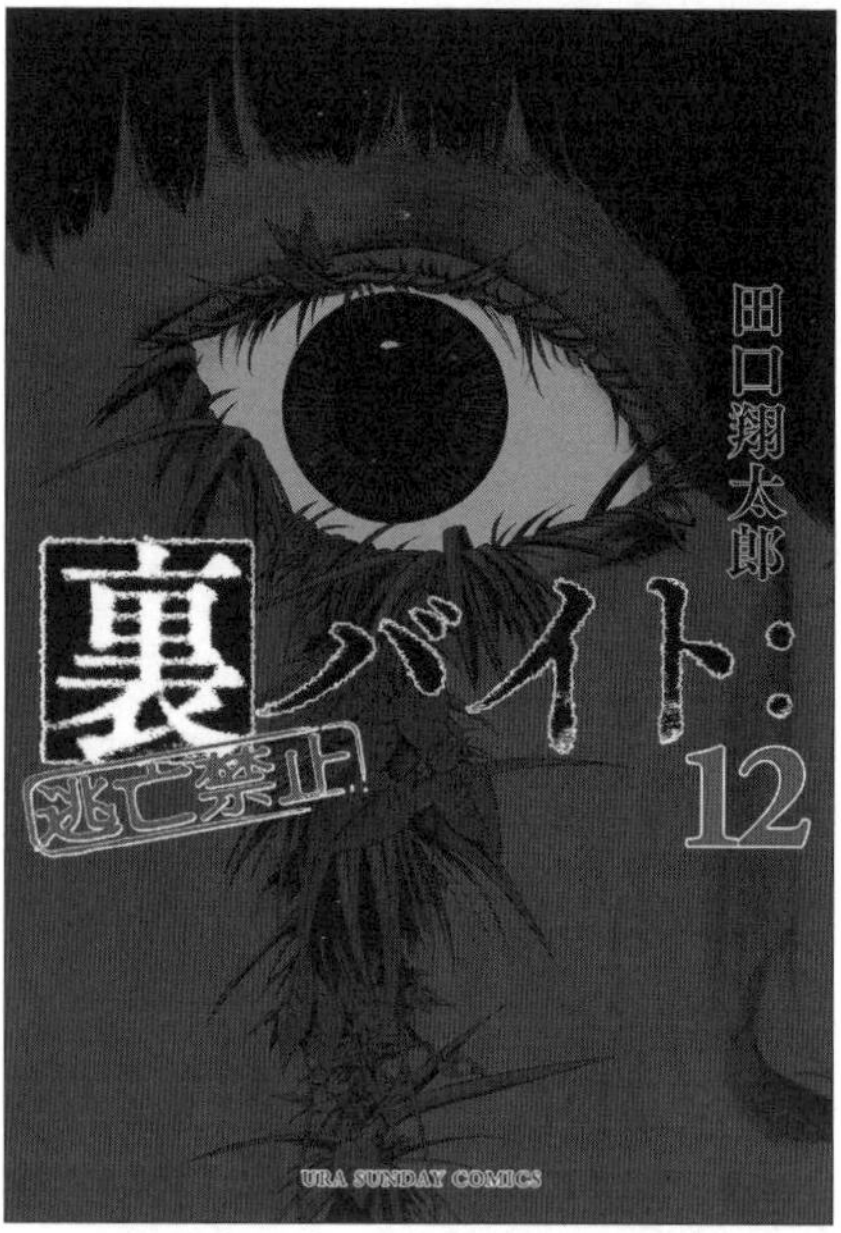

ホラー漫画の世界で恐怖を媒介するのは主に、心霊、狂った人間、異常生物に大別されるが、最近のトレンドは人知を超えた存在や事象、「怪異」である。

不可解に高給なアルバイトと聞くと犯罪行為等のリスクを連想するが、本作に登場する仕事の危険度は次元が違う。労働基準法はもちろん、人権すらも蔑《ないがし》ろにされるため裏バイターの命は空気より軽く花火大会みたいに盛大に散るし、それどころか罪のない一般人もバタバタと死ぬため、話によっては国家単位で犠牲者が出る。まさに死事《しごと》である。原因は、本作の魅力でもある規格外の怪異だ。描かれる怪異は理外の存在で常識が通用せず、人が立ち向かえるものではない。この在り方がとにかく素晴らしい。危険を察知できる能力者だが抗《あらが》う術《すべ》があるわけではなく、ただ死なないだけの主人公も作品に花を添える。道理を超えた怪異は一読しただけでは概要すら摑めないことも珍しくなく、難解な話が目立つのも本作の特徴だ。明確な回答を提示しない手法を読者が受け入れたことは革命的で、ホラー漫画において懇切丁寧な解説は不要だと証明した偉業と言える。

厭《えん》談《だん》夜《よ》話《ばなし》

夜馬裕（怪談）
外本ケンセイ（漫画）
小学館

ホラー漫画には、読者等の恐怖体験を漫画にした「実話系」と呼ばれるジャンルがある。歴史ある分野だが、リアリティが皆無であったり（突如現れた怨霊が頭蓋を握り潰す等）、胡乱《うろん》な霊能者による強引な霊視で話を〆めたりと怪談としての精度が低く怖気《おぞけ》に欠ける。

しかし近年は、誰かの実体験であると言いつつ怪異にすら匹敵する異常な怪談である「実話怪談」がオカルト系配信者や怪談師の台頭により勢いづいたことで、実話系もその影響を如実に受け、妙なリアリティをぶら提げた解明も解決もしない名状し難《がた》き体験のコミカライズが累増した。本作は、怪談師が二十年以上にわたり全国から蒐集した珠玉の恐怖体験が原作のオムニバスで、実話怪談の真髄が堪能できるだろう。人間の悪意にスポットした結末は明快で読みやすい。

コワい話は≠くだけで。

梨（原作）
景山五月（漫画）
KADOKAWA

滑り出しは、取材で集めた怪談をコミカライズすることになった作家のエッセイに見えた。区分するなら実話怪談の一種かと思ったが、話が進むにつれどうも様子がおかしくなっていく。登場する不気味な怪談だけでも充分に楽しめるが、本作の出色はエッセイに登場する作者の現身《うつしみ》を飛び越えて、現実の作者自身が怪異に晒《さら》されることだ。蒐集《しゅうしゅう》した怪談の点と点が繋《つな》がり不吉な実像を結び、暗闇が日常へ這《は》い出る構成の妙には唸《うな》るばかり。破裂寸前まで高まった臨場感が、読者を目撃者へと押し上げる。モキュメンタリーホラーを、漫画というコンテンツでしか成しえない技法で見事に描ききったその手腕に、惜しみない賞賛を送りたい。

ニクバミホネギシミ

パレゴリック
新潮社

2ちゃんねる発の有名な都市伝説「きさらぎ駅」が、いま熱い。二〇二二年に実写映画化されると、翌年には令和にもかかわらずきさらぎ駅へ迷い込む若者を描く漫画が続々と誕生した。一周して令和の世に再び都市伝説ブームがきている。そんなビッグウェーブに乗り遅れまいと、都市伝説ファン垂《すい》涎《ぜん》の呪物・因襲・悪神といったオカルトが聢《しか》と詰まった連載が始まった。霊感カメラマンとオカルトライターのコンビが取材先で遭遇する数々の怪現象を、期待の新鋭が軽快かつ大胆に描き出す。死んだ人間が生きた人間を呪い殺す力なんてないと断言する場面があるが、無情なことに人外の手にかかり容赦なく人は死ぬので安心してほしい。一話目から、夜襲のような訃報に度肝を抜かれること請け合いだ。

僕が死ぬだけの百物語

的野アンジ
小学館

極端な話、絵が怖ければホラー漫画は面白い。想像の先にある見たこともない世界の可視化を求めている己が確実に存在し、その欲求を満たせるのは、ただ上手いだけではなく恐怖を紙面に顕現させる才能だ。魂を宿す黒い描線は、傑作の必要条件である。では、選ばれし筆致で陰惨な百物語が描かれたらどうなるか。流行《はや》り廃《すた》りと無縁の王道ホラーがここにはある。部屋でカメラに向かい百物語を続ける一人の少年。彼が何者なのか目的は何なのか一切不明だが、刺さるような不穏だけは伝わってくる。どのページをめくっても、圧巻の恐怖画が放つ力を感じるだろう。アップデートされた口裂け女やテケテケの、夢にまで追いかけてきそうな壮絶な姿は必見だ。

人気作家13人に聞いた――

私の怖い話

なぜ怖い話を書くのか、なぜ怖い話が好きなのか――人気作家の原点を覗く「私とホラー小説」。そんな彼らをして「二度と経験したくない怖い体験」と言わしめる思い出をお聞きする特別エッセイ。13の怖い話をお楽しみください。

※3以降 五十音順

1 綾辻行人
あやつじ・ゆきと

一九六〇年生まれ。一九八七年に『十角館の殺人』でデビュー。

私とホラー小説

「ホラー」は僕にとって、「本格ミステリ」とともに創作における車の両輪のようなもので、片方だけで走ることはほとんどない。どちらにどう重心を置くか、作品ごとにバランスを測りながら書いてきた。

そんな中でも「ホラー＝7、本格＝3」くらいのつもりで書いた『Another』には、さまざまな私的事情もあいまって格別の思い入れがある。これが広範な読者に歓迎されたのは実に幸いだった。

『Another』には『Another エピソードS』および『Another 2001』という二つの続編があるのだが、あと一作の予定である。しかしながら現在、本格ミステリ度の高い某シリーズの新作に苦心惨憺《さんたん》している現実を思うと、将来『Another 2009』を執筆する余力があるのかどうか、大いに心許ない。――プロットはすでにあるので、いざとなったら誰か代わりに書いてくれませんか？

2 雨穴
うけつ

二〇二一年に『変な家』でデビュー。

私とホラー小説

私は「変な家」「変な家2」「変な絵」という三冊の本を出版しましたが、はたして「小説」と呼んでいいものか迷います。頻繁に画像が挿入されますし「変な家」は大部分がト書きで構成されています。少なくとも正統派の文芸作品ではないでしょう。「ウェブ記事と小説のあいの子」と呼ぶのがもっとも適切かもしれません。私はもともと「オモコロ」というウェブメディアでライターとして活動しておりました。オモコロには、文章と画像を交互に使い小気味良い独特のリズムで読者を笑わせる、というノウハウが脈々と受け継がれております。オモコロで学んだ手法をホラーに転用したのが「変な家」。そして、それをより小説のフォーマットに寄せたのが「変な絵」だと思っています。「笑いと恐怖は表裏一体」という言葉を良く耳にします。これが正しいかはさておき、両者ともリズムとタイミングが要《かなめ》であることは事実です。

3 岩井志麻子

いわい・しまこ

一九六四年生まれ。少女小説家としてデビュー後、一九九九年に「ぼっけえ、きょうてえ」で第六回日本ホラー小説大賞を受賞。

私とホラー小説

《ぼっけぇ、横櫛》

まだ岡山県の普通の主婦で、ホラー小説は好きだったが書いたことはなかった頃、久世光彦の『怖い絵』という本を読んだ。甲斐庄楠音《かいのしょうただおと》なる異端の画家の『横櫛』の不吉な美しさについて書かれている箇所が、ひどく気になったのだけれど。

肝心の、『横櫛』の図版がない。当時はパソコンもスマホもなく、手軽に検索ということができなかった。図書館などで調べようとすればできただろうが、私はなんとなく予感していた。探さなくても、いずれ『横櫛』の方から来てくれると。

その後、初めて書いたホラー小説『ぼっけえ、きょうてえ』で第六回ホラー大賞をいただき、離婚して独り上京する。

そして担当者に「本の表紙は甲斐庄楠音の『横櫛』にします」、といわれるのだ。

私は表紙の力で本が売れ、山本周五郎賞も取れたと確信しているのだが。山本賞の選考委員には、久世光彦先生もおられた。

二度と経験したくない怖い体験

《怖い水餃子》

特に怪奇現象は起こらなくても、命の危険などは味わわなくても、「人って怖いな」と身に染みることはいろいろある。

かなり昔だが、都内のある中華料理店によく行っていた。旦那さんは温厚な雰囲気の中国人で、水餃子が絶品だった。

奥さんは頬骨が高く吊り目の個性的な顔立ちの、明朗な日本人だった。

中華料理店なのに、いつもボサノバやジャズが流れ、不思議と居心地よかった。

夫妻は私を覚え、笑顔で話しかけてくれていた。客商売なのを差し引いても、夫妻に好感は持たれていると感じていた。

「今日も水餃子セットですか」

私は店でトラブルを起こしたことも、クレームをつけたこともない。

そんな店が突然に閉店してしまい、残念だったが、夫妻とも格別の付き合いがあった訳ではなく、次第に忘れていった。

そしてコロナで禁じられていた海外旅行が解禁されると、シンガポールに飛んだ。

中華街でタイガービールを飲んでいたら、同世代らしき日本男性に声をかけられた。

私は東京ローカルのテレビに長く出ているので、都民にはわりと知られている。

中華といえば、と彼は不意にあの店の名前を出した。えっ、あなたもあそこ行ってたの、と話が弾む……はずだったが。

「キツい顔の奥さん、岩井さんが嫌いでいつも悪口いってたし、いろんな掲示板に悪口を書き込みまくってましたね」

あの奥さんに嫌われる心当たりはまったくないが、メディアに出ていると、会ったことがない人にも嫌われることはある。

でもあの店、閉店したねといったら。

「奥さん不審死、旦那さんは行方不明」

さらり、と答えられた。ふと厨房の方を向くと、見覚えのある中国系の男性料理人と目が合い、日本語でいわれた。

「うちは水餃子がお勧めですよ」

4　小田雅久仁

おだ・まさくに

一九七四年生まれ。二〇〇九年に『増大派に告ぐ』でデビュー。

私とホラー小説

小説を書いていると、緊張感のある場面では筆が走るような感覚があるし、そうでない場面では筆が重くなりがちだ。正直、執筆はそもそも苦痛だが、ほのぼのとした日常を書くよりは緊張感のある非日常を書くほうが気持ちは楽である。書けている、という手応えが得られるのだ。ということはつまり、僕という小説家は、緊張感のある非日常を描きたいという根源的な欲望を持っているということになる。そしてその緊張の糸をたぐってゆけば〝恐怖〟という原初的な感情にたどり着く。僕はホラー作家を自称したことはないが、物語の根底につねに恐怖を感じながら書いている気がする。恐怖のタネが尽きないように思われるのは、人生がそもそも恐怖との戦いだからだろう。死の恐怖、老いることの恐怖、病むことの恐怖、飢えることの恐怖……物語作家としては、それにとどまらない未知の恐怖を創造してみたいとつねに思っている。

二度と経験したくない怖い体験

だいたいは飲みの帰りだが、バスもない夜更けに駅から四十分もかけて家まで歩くことがある。駅から近いあいだはまだほかの人がちらほら歩いているが、しばらくすると一人消え二人消え、やがて一人きりで閑散とした夜道を歩くことになる。そんなとき、行く手に白っぽい人影がぽつんと見えてきた。道路のほうを向いて道端に誰かが立ちつくしている。妙だな、と思いながら近づいてゆくと、ぎょっとした。素っ裸なのだ。九十の坂を越えるであろう背の曲がった痩せぎすの老爺が、一糸まとわぬ姿で呆然と夜道にたたずんでいる。歩みよる僕に気づく様子もなく、虚空に目を見ひらき、何やらぶつぶつと言っている。徘徊老人だろうか。警察に連絡すべきかと思ったが、正直、不気味な老人に関わりたくない。見なかったことにしよう、ほかの人が助けるはずだ、そう思いながら老人の前を通りすぎた。しかし後ろめたさと好奇心とで何度もふりかえってしまう。すると、向こうから黒っぽいトラックがゆっくり走ってき、老人の前で停まった。よかった。あの人が通報してくれるだろう。助手席側から黒っぽい人影が降りてき、老人をまるでマネキンか何かのように軽がると担ぎあげた。どういうことだ？　人影は老人を担いだままトラックの後ろに回ったかと思うと、すぐに手ぶらで戻ってき、また助手席に乗った。老人はどこに消えた？　まさか荷台に乗せたのか？　トラックのほうからごうごうという妙な音が聞こえていた。なんの音だ？　トラックが走りだし、こちらに近づいてくる。得体の知れない恐怖が突きあげてき、思わず立ちすくんだ。通りすぎるとき、助手席の男と一瞬、目が合った。粘土でも塗りたくったような顔に、砂利のような死んだまなざし……。それはトラックではなく、真っ黒なゴミ収集車だった。骨の砕ける音が夜の彼方に遠ざかっていった。

5 尾八原ジュージ

おやつはら・じゅーじ

二〇二三年に『みんなこわい話が大すき』でデビュー。

私とホラー小説

「何か物語を書こう」と思うと、結構な割合で自然とホラーになります。「ホラーではない」と思っていた作品についても「怖かった」というご感想をいただくことがままあるので、やはり怖いものが好きなのでしょう。ホラーにも色々ありますが、私の場合は「原因や理屈がわからないことが起こる」のが特に好きです。一時期、実話怪談を集めたいと思っていましたが「実話を蒐集していると、自分の身にも何か怖いことが起こるのでは」という恐怖に負けてしまい、またそもそも色々な人にお話を聞いて回るほどの社交性がなかったので断念しました。代わりに「実話怪談っぽい掌編」を書き始め、それが確か二百作くらい……さながら「ぼくの考えたかっこいい怪獣」の絵を描きためる子供のようですが、この子供の心を大事にしたいなぁというのが、私がホラー小説を書くための、大事な動機のひとつではないかと思います。

二度と経験したくない怖い体験

平和な日常に突如発生する異常事態。とても怖いものだと思うのですが、実はちょっぴり味わったことがあります。

　今は昔の学生時代、クラス内でドッジボールをしたときのことでした。大して剛速球でもないボールを取り損ねてアウトになり、やれやれとコートの外に出ながらふと当たったところに目をやると、なんと左手小指の第二関節が、真逆に曲がっていたのです。その瞬間、物凄い違和感を覚えると共にゾッとしました。不思議とあまり痛くはないものの、見るからに曲がってはいけない方向に曲がった指。絵面《えづら》のインパクトが非常に強く、未だに思い出すとうなじの辺りがゾワゾワして、実は拙作の中にも指が突然折れるシーンを書いたくらいです。

　さて、私がこの後どうしたか。まず黙って体育館の隅に避けると、そーっと指の形を戻しました。普段と同じような見た目になった指をキープしながら保健室に向かい、「突き指したので冷やすものください」。もちろん違うとわかっています。が、とっさにこの事態を受け入れられず、できればなかったことにしたい、でも何か治療らしきこともしなければ……と混乱した頭で考えた結果の行動が「突き指ということにする」でした。当然冷やした程度で解決するはずもなく、患部は少しすると見る見るうちに変色して腫れあがり、結局その日のうちに整形外科に駆け込んだのでした。

　あの折れた指を見たときの強烈な違和感と寒気、二度と味わいたくありません。加えて自身の、現実を受け入れられない心の弱さまでも思い知ることに……もしゾンビパンデミックが発生したら、噛まれたことを受け入れられず、普通に帰宅したりしそうです。そして自宅で拡大する惨劇、家族には申し訳ない……などと起こってもいない異常事態にも思いを馳せつつ、この辺りで筆を置かせていただきます。

6 北沢陶

きたざわ・とう

二〇二三年に『をんごく』でデビュー。

私とホラー小説

「なぜホラー小説を書きはじめたのか」と問われると、実は少し困ってしまう。というのも今まで読んできた小説のジャンルは雑多で、デビュー作の『をんごく』も、最初の構想だとホラーではなかったからだ。

しかし思い返してみると、読書体験の中で特に惹かれた作品には共通点がある。「おぞましさと美しさの共存」というべきか。例えば、江戸川乱歩作品の仄暗い恐怖と鮮烈なイメージ。メアリー・シェリー『フランケンシュタイン』の、容姿は醜いが哀切な願いを抱える怪物。ニール・ゲイマン作*Coraline*の主人公が別世界で会う〝Other Mother〟の恐ろしさと、奇妙で煌《きら》びやかな世界観。

これらの作品が教えてくれた「おぞましさと美しさの共存」が、ホラーというジャンルと相性が良かったのだろう。ならばこの相反するものをこれからも作品に込めていくのが、私の執筆における願いである。

二度と経験したくない怖い体験

あるマンガ家が「お化けの出るエピソードを描くときはお祓いに行く」と単行本のおまけページで書いていた。ホラー小説でデビューをしてからそのことを思い出し、ふと疑問に感じた。

「マンガ家が一エピソードにお化けを出すためにお祓いに行くのに、ホラー作家は行かなくていいのだろうか？」と。

そう思いながらも、好きでよく神社を訪ねているのだが、作家になってからはお祓いを受けたことがない。

しかし最近、お祓いとまではいかないまでも、「書く前にお参りに行っておけばよかった」と思うことがあった。

依頼された原稿のためではなく、趣味としてひとつ書こうとしたネタがあった。名前は伏せるが、実在する人物の怨霊を主人公にした、コメディタッチなものだった。

信心深いというよりも怖がりな私は、その人物を祀っている神社に参拝してから書いたほうがいいのではないかと迷ったのだが、生憎その神社はかなり遠方にある。

趣味で書くわけだし冒頭だけでも……と、少し書いたのが間違いだった。

就寝後、夜中に目覚めると、強烈な金縛りにあっていた。

金縛りにはよくあうから慣れてはいる。しかしかなり強く、いつもの対処法も効かない。効かないというより、何度解いても再び襲ってくる感覚だった。おまけに長時間続き、かなり苦しめられた。

結局その小説は封印し、一行も進めていない。

私の恐怖心が起こしたものか、怨霊を怒らせたせいなのかは分からないが、二度とあんな金縛りにあいたくないのは確かだ。書き進める機会があれば神社に参拝してから、と誓っているが、ひとつ問題がある。

そのネタに登場する怨霊が、主人公を含め六人いることだ。

7　澤村伊智《さわむら・いち》

一九七九年生まれ。二〇一五年に『ぼぎわんが、来る』でデビュー。

私とホラー小説

主にホラーやホラーミステリと呼ばれる小説を書いて生きていますが、非建設的なジャンル定義論を戦わせる羽目に陥ったりジャンル村の内輪揉めに巻き込まれたりするのが鬱陶しいので「怖くて面白い小説を目指して書いています。それがホラーか否かはどうでもいいです」などと面倒臭いことを言ってきました。が、そろそろジャンルや読者様への恩返し的な意味も込めて「ホラー小説を書くホラー作家です」と腹を括るタイミングかもしれない、と最近は思っています。興味をお持ちの方はデビュー作『ぼぎわんが、来る』から始まる「比嘉姉妹シリーズ」や、直近のノンシリーズ長編『斬首の森』、個人的に気に入っている独立短編集『怪談小説という名の小説怪談』などを読んでみてください。この文章が載っている本の出版社である宝島社さんからは『一寸先の闇　澤村伊智怪談掌編集』が出ています。よろしくお願いします。

二度と経験したくない怖い体験

上京し働き始めて半年くらい経った頃、深夜、帰宅途中に家の近所で道に迷い、ぐるぐる同じところを歩き回ったことが何度もある。どう歩いても、倒壊寸前の二階建て木造アパートの前に出てしまうのだ。ブロック塀には「ふきべ荘」（仮名）と書かれたパネルが取り付けてあった。階段はボロボロに錆び付き、廊下には一階も二階も、真っ黒に汚れた布きれが散乱していた。外置きの洗濯機はどれも半壊していて、一つとしてまともに動きそうにない。深夜なのにそれらがハッキリ見えたのは周囲にやたら街灯があったせいで、まるで街全体でそのアパートを監視しているようだった。「このまま永久に家に帰れないのではないか」という焦りや心細さ、そして「きっと自分はこういう家でひっそり死ぬのだ」という、確信に近い予感。迷っている間も、ふきべ荘の前に再び出てしまった時も、本当に怖かった。家に帰れた時は安堵のあまり涙を流したこともあった。

見知った場所で道に迷うのは鬱病の典型的な症状の一つだ。当時の自分にもその知識はあり、他にもそれらしき症状が出ていたので、病院に行くことにした。案の定鬱だと診断され、通院と投薬、周囲の理解もあって短期間で症状は治まった。

後に思い立ってふきべ荘へ足を向けたところ跡形もなく取り壊され、土地が売りに出されていた。更地を見た時「ケリが付いた」と実感したのを覚えている。以来思い出すことは殆どなかったし、それ故ふきべ荘について、友人知人、家族に話したことなど一度もなかった。なのに。

四歳になる子供が昨日、初めて誰にも教わらずに書いた文字が「ふきべそう」だった。画用紙の隅に茶色いクレヨンで。

驚き、戸惑う私に、子供は無表情で言った。

「はやくおいでよ」

老人のようなガラガラ声だった。

今朝、私はその画用紙を小さく折り畳んで、こっそり捨てた。

8 斜線堂有紀

しゃせんどう・ゆうき

私とホラー小説

小さい頃はありとあらゆるものが恐ろしかった。家にある映画関連のグッズ、街の不気味な隙間、レンタルDVDショップに飾ってあるホラー映画のポスター、映画『グリンチ』の予告、死そのもの。こんなに怖がりな子も珍しいと親に呆れられていたくらいだ。けれど、怖がりなのに私はそういったものに頭が取り憑かれていた。「見てはいけないものを見る」という快感が、私の脳を上書きしてしまったのだと思う。それから私は、自分が最も恐ろしいものに執心するようになった。人体破壊や死後の地獄、恐ろしい魔女狩りなど。それが『楽園とは探偵の不在なり』を生み『本の背骨が最後に残る』を生んだ。一転して残虐なものに惹かれるようになった私に、これはこれで親が心配していたのを思い出す。今でも私は、見てはいけないものを見せたい。怯えながらも指の隙間から覗く読者の為に。

二度と経験したくない怖い体験

八歳の頃に住んでいた家の近くに、水色の屋根をした四階建ての建物があった。奇妙なのは、それが子供の両腕を広げたくらいの幅しかない、やたら細長い作りをしていたことだ。

ある日、その建物の偵察に行くと、扉が開いていた。私はきっとお店がオープンしたんだ！　と思い、一目散に駆けていった。そうして、中に入って怯んだ。中には階段しか無かったからだ。

扉を開けて玄関があって、すぐに階段がある。この建物自体が、この階段の幅しかなかった。高い天井には電球が吊り下がっていて、壁には民芸品のような、アットホームな飾りが並んでいた。上には何があるんだろうと思い、半分ぐらい登った。そこで、蹴込板に何か文字が書いてあるのに気がついた。赤い絵の具を使って筆で書いたような太い文字だ。どうやらそれは怪談話で、一段に一行ずつ読みながら上がっていく趣向になっているようだった。

半分まできた時点で建物の天井と階段の終点が見えていて、そこには何にも無いのが見えていた。がっかりするよりも、なんだかちょっと不安になった。上には本当に何も無い。怪談話の内容はよく覚えてないんだけど、なんだか要領を得ない話だったような気がする。たまに絵の具で文字が潰れてて読めなかったのもある。

そうして最上段に辿り着くと、もう完全に天井に頭が着いてしまった。怪談話にオチが無かったのだけは覚えている。何故なら、階段の終点に書かれていた文字は「ここまできたね」だったから。私はうわっと恐怖に駆られた。私は怖すぎて階段に手をつき、ずりずり身体を擦り付けて一段一段降りて逃げた。泣いて帰った。

全部、実体験だ。この建物が何だったのか、誰のものだったのか、今でも探している。あれは作品ですか。それとも別のものなんですか。誰か情報をください。

9 背筋《せすじ》

私とホラー小説

多くの恋愛小説や冒険譚は、読者に「あったらいいな、こんなこと」という夢を与えてくれます。対して、ホラー小説というものは「こんなこと、絶対にあってほしくないな」を表現することに全力を注ぎます。

では、なぜそんなものが、多くの人の心を惹きつけるのか。それは、読むことで現実の世界に安心できるからではないでしょうか。現実には、運命の出会いもなければ、胸躍る冒険もありません。ですが、生首が鞄の中で笑っていることもまた、ないのです。恐怖の物語に慄《おのの》くことで、それが起こりえない現実に安心できる。そんな効能効果がホラー小説にはあると考えています。

デビュー作、『近畿地方のある場所について』では、様々な「現実で絶対に起こってほしくないこと」を書きました。執筆中の次作でも、最悪な気持ちになれるような物語を目指しています。みなさまが穏やかに現実世界で過ごせることを願って。

二度と経験したくない怖い体験

私が大学生の頃に体験した本当の話。

仲のよかった友人男女数人で地方に旅行へ出かけたときのことだ。夜、宿の近くを散歩していると、大きな神社を見つけた。肝試し感覚で、真っ暗な広い境内に足を踏み入れた私たちは、手水舎のあたりで、突然誰かの大きな声を聞いた。

それは、朗々と祝詞《のりと》のようなものを唱える男の声だった。

それが聞こえたとき、誰も「キャー」などと叫んだりはしなかった。それがスタートの合図であるかのように、一斉に全速力で逃げ出していた。無言で、必死に。

長い参道を走る途中で、前方を走っていた女子が転んだ。女子に引っ張られて、隣の男子も転ぶ。それにつまずき、私も転ぶ。だが、全員が、即座に立ち上がってまた走りはじめる。そこには、「もう走れない……」といった泣き言や、「俺はいいから先に行け！」といったホラー映画的な台詞は一切ない。

「ちょっと……タイム」

参道が終わるあたりで、友人が発したなんとも間抜けな言葉をきっかけに立ち止まった。全員が膝に手をつき、荒い息を吐く。私たちは、そこではじめて、手や膝から血が流れていることに気がついた。転んだときに怪我をしていたのだ。青ざめた顔で、足を引きずりながら、私たちは宿へ帰った。

あとで調べてわかったことだが、そこはとても有名な神社で、日中は県外からの観光客でにぎわっているとのことだった。参拝者をセンサーが検知し、自動で祝詞が流れる仕組みを導入しているぐらいには。

現実の恐怖体験は、創作怪談とは違いあまりに間抜けで、完成度が低い。だが、私があのとき感じた恐怖を超える創作怪談には、まだ出会っていない。

もしかしたら、神様が不敬な若者を少しだけ驚かしたのかもしれない。だとしたら、神様も創作とは違い、とても優しいと思う。

10 梨《なし》

二〇〇〇年生まれ。二〇二二年に『かわいそ笑』でデビュー。

私とホラー小説

私は主にインターネット上で小説を書いてきたため、過去に執筆してきたホラー小説もその過半数がネット上で読めるものになっています。

その中でも特に印象深いのはメディアプラットフォーム「note」で公開した「瘤談」(https://note.com/pearing/n/n207b0123374a)というもので、本作をきっかけにWEBメディア「オモコロ」でライターとして活動するようになりました。

今でこそ画像や音声媒体などを使用したホラー小説もそれほど珍しいものではなくなりましたが、当時は公開できる媒体さえも非常に限られていたため、それらを用いた演出や文字組の調整に苦慮した覚えがあります。

媒体や表現の縛りを出来る限り排除したホラー小説執筆の場を、個人的に毎日のように望んでいます。

二度と経験したくない怖い体験

処女作『かわいそ笑』を執筆していた時期のことです。

本書は様々な「インターネット」をテーマにしたホラー小説です。そのため、「洒落怖」をはじめとする有名なネット怪談のページはもちろん、あまり取り上げられないWEBページも舞台のひとつとして執筆していました。

ある章の執筆を進めているとき、諸事情から「WEBページのスクリーンショットを模した画像」を制作しなければならなくなりました。そのWEBページは特殊な回線接続方法を採用しないと閲覧が不可能な、いわゆる「深層ウェブ／ダークウェブ」の日本語掲示板でした。私が制作してもよかったのですが、当時様々なタスクが詰まっていたこともあり、出版社のデザイナーさんにお願いすることにしたのですが。

「掲示板のUIはこれを参考にして」と、私は実在するとある掲示板のスクリーンショットと新規に執筆した文章を共有しました。

一応、そのWEBページのURLは控えておき、改行位置やフォントなどをいつでも参照できるようにしていました。ただ制作自体はスムーズに進み、画像があがってくるまでの間にそのURL遷移先を閲覧することはありませんでした。

そして、その章を書き上げた直後くらいに、ふと思い出して先述のページにアクセスしたのですが。

WEBページは跡形もなくなっていました。

スクリーンショットにURLも残っていたため、参照先のURLをミスタイプしているわけでないことは明白でした。風の噂で、その掲示板がとある人物(あるいは団体)によって徹底的にクラッキングされたという内容を聞きましたが、正確な理由は今もって判然としていません。

11 平山夢明

ひらやま・ゆめあき

一九六一年生まれ。一九九四年に『異常快楽殺人』でデビュー。

私とホラー小説

他に書くものがなかったからなのね。

元々生まれ育った場所や家庭が人がやたらと死んでいたり、殴られる環境だったので何かを描くといった時に他に思い当たりませんでした。恋愛とかなんとかは全く別の惑星の話だと思っていたので……。先生に軽口を叩くと生徒は配電盤に顔がぐちゃぐちゃになるまで叩き付けられるような中学でしたし、その際、学年主任が〈止めなさい!〉と羽交い締めにしても〈俺は刑務所に行く覚悟で教師をやってるんだから、こいつは必ず殺《と》る!〉と叫ぶような人が担任でした。また家でスキヤキを食べていると中間試験の数学が78点だったのを知った親父に頭を摑まれて何度もテーブルに叩き付けられて、顔の跡が着くほど血まみれにされて、翌日兎目になって視力が1／10になったりしたのでやっぱり書くのはホラーだなとその頃から確信していました。よかったよかった(*^_^*)

二度と経験したくない怖い体験

この前、久しぶりに夜中まで呑んでヘロヘロになりました。わたし、呑みすぎるとたまにお腹がゴロゴロするんです。本当だったらその辺りのコンビニでトイレを借りれば良かったんですけれど道沿いになくて〝なんとかなるさ〟と早足で戻ってたんですね。そしたら予想外に、お腹のスピードが素早くて〈え?ちょっと待って〉ってなったんですね。で、もうそうなると超特急的になってしまって、なのにそういう時に限ってコンビニがない。あった!と思って入っても〈夜間の使用はご遠慮願います〉なんてあったりするので目を白黒させながら急いだんですけれど、どんどん苦しくなって脂汗的になってきたんです。でも、もうちょっともうちょっとだからとウネウネしながらマンションのエントランスに飛び込んでエレベーターを見るとRで停まってんの。なんだよ!莫迦!って感じで押して、とにかく9や3や4みたいに軀《からだ》を動かしながら待ってると……やっときた!

飛び込んで自分の階を押した時に、おや?って。だって奥側の壁にフードをかぶった男がいたんです。でも、なんか、なんだこいつ?とは思ったけど、こっちは背に腹どころじゃないんで無視してたら、ぶつぶつ云ってる。それでスッと後ろから手を伸ばしてRをまた押した。妙だと思ったけど、とにかくこっちは背に腹どころじゃない。そしたら〈失敗した〉って声がしたんです。振り返ったらフードのなかの顔が血まみれで、鼻なんか完全に潰れて目が落っこちそうになってました。見ると立ってるのもやっとみたいな感じで腕や足も妙に捻れてて、え?っと思った途端、エレベーターが開いたんで飛び出して部屋に戻って無事でしたけど。翌日、管理人さんに隣のマンションで飛び降りがあったと聞きました。なんだかわからないけど、もうあんなにお腹が痛くなるのはごめんです。

12 三津田信三

みつだ・しんぞう

二〇〇一年に『ホラー作家の棲む家』でデビュー。

私とホラー小説

中高生から大学生くらいまで、僕はフェアな謎解きを主眼とした本格ミステリ至上主義者だった。あくまでも基礎教養として怪奇幻想小説や『シャーロック・ホームズ』シリーズなども読んだが、決して面白いとは思わなかった。

ところが、あまりにも嵌まり過ぎて、いつしか近親憎悪に近い感情を抱くようになる。すべてが割り切れることに物足りなさを覚えはじめた。その反動で今度はホラー小説にのめり込んでしまう。古今東西の古典から現代作品まで、とにかくホラーを読み漁った。と同時にミステリも相変わらず読んでいたので、まったく嫌いになったわけではなかったのだろう。

この二つの大きな読書体験が、ホラーミステリ作家「三津田信三」を生んだのだと思う。作家になって六、七年が経った頃、過去の読書と映画鑑賞の体験に助けられていると、とても実感した覚えがある。

二度と経験したくない怖い体験

二十代の前半、とある年の冬季、僕は社用車で高速道路を独り走行していた。京都のインターチェンジから乗って、岐阜に向けて走っていたと記憶している。

その日は雪が降っていた。京都で積もっていたか定かではないが、少なくとも高速は八十キロ規制で、完全な雪道と化していたのは間違いない。

ちなみに雪道の運転は、このときが初体験だった。タイヤにチェーンを巻かなければならない、という意識は無論あった。でも一応は普通に走れている。まだ大丈夫だろう、と完全に油断していた。

ふらふらっと車の後部が気持ち悪く尻を振ったのを感じたとたん、しまったと後悔したが、もう遅い。その直後、車が滑り出した。くるっと円を描くように、車が回っている。フロントガラスから見える風景が、さあっと左から右へ流れていく。

びゅんと一台の車が、すぐ横をスレスレで走り抜けた。とっさに止まれずに、辛うじて僕の車を避けたらしい。

それ以外は、なぜかスローモーションに感じられた。ゆっくりと回る車の中で「あぁ僕は、こんな事故で死ぬのか」と、恐怖と後悔の念に囚われた。

ただ最も感情を乱されたのは、過去の出来事が走馬灯のように、さぁっと脳裏を過《よぎ》る体験をしたことである。

死の間際には人生が走馬灯のように駆け巡る——と昔から言われているが、あれは本当だったと知った。

気がつくと車は、路肩に反対方向を向いて止まっていた。道路にはトラックを先頭に、数台の車が停止している。トラックがパッシングをしたので、僕も返した。それから車が流れ出した。僕は雪塗れになりながら、タイヤにチェーンを巻いた。

まさに貴重な経験だったが、もちろん二度と体験したくない。

13 芦花公園

ろか・こうえん

二〇二一年に『ほねがらみ』でデビュー。

私とホラー小説

小学生の頃から貴志祐介や平山夢明にのめり込み、生涯の推し作家が三津田信三なので、自分が書くとしたらホラー以外の選択肢がなかった。モキュメンタリー形式のホラー小説でデビューしたが、あれは一回限りの手法、かつ怖くて当然のもの（誰だって自分が当事者になったら怖いでしょう）だと思っているのでもう書くつもりはなく、何かしら別の新しい手法の小説で他人を面白がらせることができないかと模索しています。キリスト教モチーフをすぐに織り込んでしまうのは私自身がクリスチャンだからなのですが、よく難解だと言われてしまうので、今年は分かりやすいもの、あまり宗教色の強くないものを目指して作品を作っていきたいと思います。ホラーは怖くて読みたくない、という人でも読んでしまうような作品を目指しています。

二度と経験したくない怖い体験

私は小学生の時から非常に背が高く、百七〇㎝を越えていた。私のことを知らない人からは、骨格のしっかりしていない成人に見えていたのだと思う。

学習塾に行く途中で、中年女性が近寄ってきて、

「辛そうね。悩みがあるんじゃない？　もし良かったら話してみて」

と声をかけてきた。

確かに、中学受験のことなど色々悩むこともあったが、それよりも突然知らない大人に話しかけられたことが恐ろしく、その場で硬直してしまった。

「ね、顔色も悪いしね、あのビル、おばさんのお友達が沢山いるの。お茶も出るから、あそこで少しお話ししましょう」

中年女性はそう言って、私の腕に自分の腕を絡ませ、反対側の手でがっちりと囲い込んだ。私はやはり何も言えず、首を横に振ることしかできなかった。

「大丈夫だからね、みんないい人だから」

中年女性は腕に力を込めている。しかし、自分より小さいから、何とかなりそうだと思い、身を捩《よじ》って抵抗しようとした。

気が付くと、正面に、別の中年女性が立っている。

「この人もね、お友達なの、サトウさん」

サトウさんに反対側の腕を掴まれた。

サトウさんも、がっしりと囲うように私の腕を掴んでいる。私はそのまま、中年女性二人にずるずると、「お友達」とやらがいるビルに引き摺られていく。

ビルの玄関が見える。ガラス扉から、うっすらと、中年女性が何人も並んでいるのが見える。

入ったら終わりだ。そう思い、やっと、「わあっ」と声が出た。

その声があまりにも甲高く、幼かったからだろうか、それとも誰か別の大人の人が止めてくれたのだろうか。怖すぎて覚えていないが、私はきちんとその日学習塾で勉強し、帰宅した。

小柄な中年女性はより大きく育った今でも苦手である。

スパニッシュ・ホラーの時代!?
ホラー・プリンセスの狂気を見よ

発表!

このホラーがすごい! 2024

BEST20 海外編

	書名	著者／翻訳者／出版社	点数	本体価格
1位	寝煙草の危険	マリアーナ・エンリケス 宮﨑真紀 国書刊行会	207	3800円
2位	生贄《いけにえ》の門	マネル・ロウレイロ 宮﨑真紀 新潮文庫	134	950円
2位	異能機関（上下）	スティーヴン・キング 白石朗 文藝春秋	134	各2700円
4位	幽霊ホテルからの手紙	蔡駿 舩山むつみ 文藝春秋	122	1950円
5位	奇妙な絵	ジェイソン・レクーラック 中谷友紀子 早川書房	86	3100円
6位	最後の三角形 ジェフリー・フォード短篇傑作選	ジェフリー・フォード 谷垣暁美 編訳 東京創元社	85	3500円
7位	ロンドン幽霊譚傑作集	W・コリンズ、E・ネズビット 他 夏来健次 編訳 創元推理文庫	68	1100円
7位	大仏ホテルの幽霊	カン・ファギル 小山内園子 白水社	68	2400円
9位	妄想感染体（上下）	デイヴィッド・ウェリントン 中原尚哉 ハヤカワ文庫SF	67	各1440円
10位	穏やかな死者たち シャーリイ・ジャクスン・トリビュート	エレン・ダトロウ 編 渡辺庸子 他 創元推理文庫	64	1500円

順位	書名	著者	翻訳者	出版社	点数	本体価格
11位	迷いの谷 平井呈一怪談翻訳集成	A・ブラックウッド 他	平井呈一	創元推理文庫	50	1500円
12位	ブラッド・クルーズ(上下)	マッツ・ストランベリ	北綾子	ハヤカワ文庫NV	48	各1380円
13位	忘却の河(上下)	蔡駿	高野優監訳	竹書房文庫	45	各1400円
14位	メアリ・ジキルと囚われのシャーロック・ホームズ	シオドラ・ゴス	鈴木潤	新☆ハヤカワ・SF・シリーズ	32	2800円
15位	シャーロック・ホームズとサセックスの海魔	ジェイムズ・ラヴグローヴ	日暮雅通	ハヤカワ文庫FT	31	1360円
16位	ドイツ・ヴァンパイア怪縁奇談集	ラウパッハ、シュピンドラー 他	森口大地編訳	幻戯書房	29	4200円
17位	九月と七月の姉妹	デイジー・ジョンソン	市田泉	東京創元社	25	2000円
18位	夜間旅行者	ユン・ゴウン	カン・バンファ	ハヤカワ・ミステリ	23	2000円
19位	呪いを解く者	フランシス・ハーディング	児玉敦子	東京創元社	22	3700円
20位	吸血鬼ヴァーニー 或いは血の饗宴 第一巻	ジェームズ・マルコム・ライマー&トマス・ペケット・プレスト	三浦玲子・森沢くみ子	国書刊行会	20	2500円

21位 以下の作品(5点以上)

書名	著者	出版社	点数
シャーロック・ホームズとミスカトニックの怪	ジェイムズ・ラヴグローヴ	ハヤカワ文庫FT	19
幽霊のはなし	ラッセル・カーク	彩流社	19
フランケンシュタインの工場	エドワード・D・ホック	国書刊行会	18
幽霊を信じますか? ロバート・アーサー自選傑作集	ロバート・アーサー	扶桑社	15
お城の人々	ジョーン・エイキン	東京創元社	14
オレンジ色の世界	カレン・ラッセル	河出書房新社	14
幽霊綺譚 ドイツ・ロマン派幻想短篇集	ヨハン・アウグスト・アーペル 他	国書刊行会	13
死霊の恋/化身 ゴーティエ恋愛奇譚集	テオフィル・ゴーティエ	光文社古典新訳文庫	12
妖精・幽霊短編小説集 『ダブリナーズ』と異界の住人たち	J・ジョイス 他	平凡社ライブラリー	11
新編怪奇幻想の文学3 恐怖	紀田順一郎、荒俣宏 監修	新紀元社	10
ドラキュラ	ブラム・ストーカー	光文社古典新訳文庫	10
となりのブラックガール	ザキヤ・ダリラ・ハウス	早川書房	10
新編怪奇幻想の文学4 黒魔術	紀田順一郎、荒俣宏 監修	新紀元社	9
カーミラ レ・ファニュ傑作選	レ・ファニュ	光文社古典新訳文庫	9
フランツ・シュテルンバルトの遍歴	ルートヴィッヒ・ティーク	国書刊行会	8
トランペット	ウォルター・デ・ラ・メア	白水Uブックス	8
象られた闇	ローラ・パーセル	早川書房	8
暗い庭 聖人と亡霊、魔物と盗賊の物語	ラモン・デル・バリェ=インクラン	国書刊行会	8
閉ざされた扉 ―― ホセ・ドノソ全短編	ホセ・ドノソ	水声社	7
森のロマンス	アン・ラドクリフ	作品社	7
幻想と怪奇14 ロンドン怪奇小説傑作選	幻想と怪奇編集室(牧原勝志)	新紀元社	6
ナイトランド・クォータリー vol.33 人智を超えたものとの契約	アトリエサード	書苑新社	5
ロボット・アップライジング AIロボット反乱SF傑作選	D・H・ウィルソン&J・J・アダムズ 編	創元SF文庫	5
幻想と怪奇15 霊魂の不滅 心霊小説傑作選	幻想と怪奇編集室(牧原勝志)	新紀元社	5
マリーナ バルセロナの亡霊たち	カルロス・ルイス・サフォン	集英社文庫	5
ナッシング・マン	キャサリン・ライアン・ハワード	新潮文庫	5

Information

集計方法について　アンケート回答者(海外36名)が選出した作品について、1位=10点、2位=9点、3位=8点、4位=7点、5位=6点、6位=5点で集計しました。

対象作品について　奥付表記で2023年4月～2024年3月に発行されたホラー作品を投票対象にしています。

海外編 2024年 ホラー総評

解説＝朝宮運河

アルゼンチン、スペイン、中国、韓国。世界各国の恐怖に酔いしれた一年

海外編の首位に輝いたのは現代のホラー・プリンセス、エンリケスの短編集。貧困、暴力など現代社会の暗部をゴシックな想像力を駆使して描き出す作風は、ホラーの新たな可能性を感じさせる。二位はクトゥルー神話風の怪異を扱ったスペイン発のモダンホラーで、スペイン語圏の作品がワンツーフィニッシュを決めることとなった（翻訳はともに宮﨑真《みやざきま》紀《き》）。スパニッシュ・ホラーの動向には今後も注目だ。

デビューから半世紀、ホラーの第一線を走り続けるキングは初期作品に回帰したかのような超能力スリラーで堂々二位にランクイン、帝王の貫禄を見せつけた。ちなみに『生贄の門』のロウレイロは〈スペインのスティーヴン・キング〉と呼ばれるが、四位の蔡駿も〈中国のスティーヴン・キング〉の異名をもつ。『幽霊ホテルからの手紙』は二転三転する語りに妙があるゴーストストーリーで、華文ホラーへの興味をそそらずにはおかない出来映え。

韓国からは『大仏ホテルの幽霊』がランクイン。実在するホテルを舞台にした、虚実入り乱れるスリラーで、十位の『穏やかな死者たち』でトリビュートされているシャーリイ・ジャクスンも登場する。奇《く》しくも今年七月にはジャクスンの伝記をもとにした映画『Shirley シャーリイ』も公開、魔女と呼ばれた異色作家にスポットが当たっている。

古典発掘系で唯一ベストテン入りしたのは『ロンドン幽霊譚傑作集』。掘り出し物が多く、編訳者の企画力が光るアンソロジーだった。英語圏のベストセラーのみならず、各国発のホラーやスリラーが並んだランキング結果は、怪奇幻想文学の翻訳出版に携わる人々の尽力の賜《たまもの》。この場を借りてエールを贈りつつ、今後の展開に期待したい。

作家別得票数

※1作1票として集計　※アンソロジーは除く
※同点の場合は五十音順

順位	著者	投票者数
1位	マリアーナ・エンリケス	26
2位	蔡駿	21
3位	マネル・ロウレイロ	18
4位	スティーヴン・キング	17
5位	ジェイソン・レクーラック	12
6位	ジェフリー・フォード	10
7位	カン・ファギル	9
8位	デイヴィッド・ウェリントン	8
9位	マッツ・ストランベリ	7
9位	ジェイムズ・ラヴグローブ	7

怪異は人の闇をあぶりだす――
王道が現代的進化を遂げた
〈スパニッシュ・ホラー〉傑作集

1位

寝煙草の危険

マリアーナ・エンリケス／
Mariana Enríquez
国書刊行会

得点／207点

　降霊術、蘇る死者、呪い、幻視、そして人が心に秘めた猟奇的な欲望……ホラーの古典的なモチーフの数々を、インターネットや格差社会などと絡め、現代性を持つ作品として昇華している短編集。アルゼンチン出身の著者、マリアーナ・エンリケスは〈ホラー・プリンセス〉と称され、国際的にも高く評価されている。

　収録作は、シンプルながらもぞっとする幽霊譚「ちっちゃな天使を掘り返す」「展望塔」や、呪いや怪異に直面した際にあぶりだされる人の醜悪さが肝の「ショッピングカート」「井戸」といった、超自然的な要素の強い作品が中心となっている。また、心音に性的興奮を覚える女性のエスカレートしていく欲望の物語「どこにあるの、心臓」、死んだロックスターを崇拝する少女たちの狂気を描く「肉」など、人間が内に秘めた異常性を扱っている作品も印象的だ。表題作「寝煙草の危険」は静かな小品だが、社会の片隅に隠れた、人が抱えている深い闇を切り取っているという点で、作品集全体を象徴する一編。全十二編が収録されており、存分に楽しめる一冊だ。

文＝三橋曉（『異能機関』）、編集部

一気読み必至！
スペイン発の極上の
サスペンス・ホラー

2位

生贄《いけにえ》の門

マネル・ロウレイロ
Manel Loureiro
新潮文庫

得点／134点

舞台はスペイン・ガリシア地方、かつてケルト人の聖地だったセイショ山の頂で、心臓をえぐり出された女性の死体が発見される。その場所には、門を意味する〈プエルタ〉と呼ばれる遺跡があった。猟奇的な事件の捜査に当たることになったのは、治安警備隊の駐屯地に赴任してきた捜査官・ラケル。実は彼女は、末期癌《がん》の息子を救う奇跡を求めて、この地にやってきたのだが、奇跡は事件と関わりがあるらしく……。相棒となった優しい巨漢の青年捜査官・ファンと共に、事件の背後に隠された秘密を追ううちに、ラケルの周囲には不穏な気配が漂い出す。一方、ラケルが息子と暮らすことになった、古くからの村・フォスコの屋敷でも、超自然的な怪奇現象が起こり始める。果たして、ラケルは事件を解決し、余命少ない我が子を救うことができるのか？

古代の宗教や習俗の気配が残る、閉鎖的な地方で事件が起こるという「フォークホラー」の伝統的な形式を用いつつ、緊迫感の続く巧みな構成で読者をぐいぐいと引き込んでいく。結末まで一気読み間違いなしの、骨太のサスペンス・ホラー。

『このミス』と『このホラ』、今年度のエンターテインメント文学の頂点を決める二大ランキングで、その双方に見事ランクインしたのが『異能機関』だ。

ミネソタ州ミネアポリス。両親のもとで暮らす十二歳の少年ルークには、並外れた知能に加え、手を触れずにものを動かすことができる不思議な能力があった。ある晩のこと、不審な男女に拉致された彼は、怪しい研究所に幽閉されてしまう。そこには、超能力を持った子どもたちばかりが集められ、拷問同然の不快な実験への協力を無理強いされていた。耐えかねたルークは、仲間たちとともに施設からの脱出を画策するが――。

すでに書き尽くされた感のある超能力者や少年少女の闘いの物語に、新風を吹き込んだ本作だが、一九四七年九月生まれのスティーヴン・キングは、今年満七十七歳。この春には最初の長編『キャリー』の出版から半世紀となった。このおめでたい節目に、ラッキー7の釣瓶《つるべ》打ちである喜（㐂）寿のお祝いに因《ちな》んで（?）、本作を含む最新作の連続紹介が継続中。元祖・恐怖の帝王は、自らが切り拓いたモダンホラーの最前線を更新し続ける。

2位

異能機関（上下）

スティーヴン・キング
Stephen King
文藝春秋

恐怖の帝王は衰えない！
少年少女の超能力バトルものに
キング自ら新風を吹き込む一作

得点／134点

4位

幽霊ホテルからの手紙

文藝春秋

蔡駿
CAI JUN

中国・浙江《せっこう》省東部、海と墓地の間の荒野に建つ「幽霊客桟《きゃくさん》」で、過去から続く狂気と惨劇の物語が幕を開ける。客桟とは、中国の伝統建築様式の宿泊施設のこと。閉鎖的な空間で展開する、ゴシック・ホラー様式の作品だ。

警察官の葉簫《イエシャオ》のもとを訪れた、かつての親友で作家の周旋《ジョウシュエン》。死んだ女優から謎の木匣《きばこ》を託された彼は、彼女の遺言を叶え、かつ、小説のインスピレーションを得るためにと、「幽霊客桟」を訪れる。周旋が葉簫にあてて、一日一通送ってくる手紙が、彼が客桟で体験した不気味な出来事と、従業員や宿泊客たちの歪んだ人間模様を、徐々に明らかにしていく……。不気味な客桟の忌まわしい過去を基軸に展開する筋立てに、正当派ホラーの楽しみを味わえる。また、作中に散りばめられた中国の伝統演劇や伝承、客桟での哀しい恋愛などの描写には、幽玄の美しさが漂い、扇情的なだけでなく、格調も感じさせる。書簡文学の趣は、作品の仕掛けにも繋がっている。著者の小説は日本初紹介。叙情的に綴られる、ひと味違ったアジアン・ホラーの世界を、ぜひ体験して欲しい。

手紙が伝える狂気と惨劇、
呪われたホテルが舞台の
美しき中華ホラー！

得点 122点

5位

優しい母親、しっかりものの父親
幸せに満ちた家庭の中
少年が描く絵だけがおかしい

奇妙な絵

ジェイソン・レクーラック
Jason Rekulak
早川書房

得点　86点

二十一歳のマロリーはドラッグ依存からのリハビリに励みながら、ベビーシッターとして住み込みで働き始める。ボランティア精神に満ちた母親と頼りになる父親、マロリーにべったりの息子テディ。三人家族の愛情によって、マロリーは自身の過去の傷さえ癒していくが、一つだけ気がかりなことがあった。——テディの描く絵に登場する、彼のイマジナリーフレンド、アーニャの存在だ。

　本書の特徴はなんといっても、作中に登場する「絵」が実際に文中に差し挟まれることだ。五歳の少年が描いたほほえましいイラストの中に、アーニャという不気味な異物がまじわる気持ち悪さを生々しく体感できる。

　物語は進み、ある日からテディはアーニャが殺される様子を描いた絵を渡してくるようになる。同時に、彼女の暮らすコテージで過去に女性画家が失踪していたことを知ったマロリーは、アーニャが実在する霊なのではないかと疑いはじめる。

　アーニャは誰に殺され、何を訴えているのか。はたまたすべてはマロリーのドラッグ依存が見せる幻覚なのか……独創的なホラーミステリー。

6位

最後の三角形 ジェフリー・フォード短篇傑作選

東京創元社
ジェフリー・フォード
Jeffrey Ford

得点 85点

バラエティに富んだ14作
怪奇と共に味わう
切ないノスタルジアも魅力

魔術や不可解な殺人を扱うホラーから、ファンタジックな妖精物語、宇宙を舞台にしたSFまで、多様な幻想に富んだ十四作を収録。

ホラー要素が強い作品としては、街に仕掛けられた魔術の陰謀を追う表題作「最後の三角形」を始め、死体を発見した少年が幻覚に取り憑かれる「タイムマニア」、死骸から生える果実から作る酒をめぐる物語「ナイト・ウィスキー」、猟奇的な連続殺人を扱った「星椋鳥《ほしむくどり》の群翔」などが挙げられる。また、戦争を背景にしたSF「マルシュージアンのゾンビ」や「ロボット将軍の第七の表情」も、ホラーとして楽しむこともできるだろう。情景が浮かぶ丹念な描写と、郷愁や哀切を感じさせる語り口は、物語に厚みを与えている。

7位

ロンドン幽霊譚傑作集

創元推理文庫
W・コリンズ、E・ネズビット他
W. Collins,E. Nesbit and others

得点 68点

十九世紀・ヴィクトリア朝時代のロンドンを舞台にした十三の物語。内十二編は日本初紹介の作品となっている。シャーロック・ホームズや切り裂きジャックが思い浮かぶ、イギリスが栄華を極めていたこの時代は、物語の題材として日本でも人気が高い。当時に生きて活躍していた作家たちの筆による作品が収められていることが、本書の特徴だ。繁栄と共に、犯罪や病気が横行していた時代でもあり、また、降霊会などのオカルトが流行していたことも作品群の背景となっている。幻想的な幽霊譚のバリエーションの愉しみに加えて、同時代の作品ならではのリアルな描写も読みどころ。実在のロンドンの地名や流行小説などが登場し、文化や人々の生活を感じられる。

日本でも人気の高い
十九世紀ロンドンの
ゴースト・ストーリーが蘇る

7位

実在の人物も登場させる
虚実の境界を揺るがす手腕が見事！
韓国発のゴシック・スリラー

大仏ホテルの幽霊

白水社
カン・ファギル
Kang Hwagil

呪詛の声に悩むスランプ中の作家「私」は、韓国の街・仁川にあった「大仏ホテル」について、奇怪な昔語りを聞くことに。一九五五年、朝鮮戦争の傷跡が生々しい時代、その古びたホテルは悪霊に憑かれていると言われていた。外国から来た女性客が長期滞在し始めたことをきっかけに、ホテルに関わる人々の運命が狂い出す。

作中の女性客はなんと、恐怖小説作家・シャーリー・ジャクスン。他にも実在の人物名や地名が登場する。語り手の「私」自身、カン・ファギル本人を思わせる造型となっている。「私」が聞く話は、どこまでが真実で、どこが嘘なのか。物語と現実の境界を揺るがすような一作だ。

得点 68点

9位

妄想感染体（上下）

ハヤカワ文庫SF
デイヴィッド・ウェリントン
David Wellington

職務で失態を犯した防衛警察・サシャ警部補は、植民惑星パラダイス－1の調査を命じられる。彼女同様、“好ましからざる人物”である医者のジャン、パイロットのサムとともに、太陽系から百光年離れた惑星で、厄介払いのための無意味な仕事に臨むはずだった。しかし、一行を待ち受けていたのは、自壊的な妄想に囚われ狂気で満ちた無数の宇宙船で――『最後の宇宙飛行士』でアーサー・C・クラーク賞の候補に挙げられた実力派作家による本作は、三部作の第一作目。上下二巻でボリュームはあるが、短い章を連ねる構成で、宇宙SFを読み慣れていなくても楽しめる秀作だ。危機的状況が連続し、妄想に冒された一群の描写には粟立つ。続編の発刊が待ち遠しい。

死に蝕まれた宇宙船内で
感染する狂気と闘え――
本格サバイバルSFホラー！

得点 67点

シャーリイ・ジャクスンに
敬意を表した18人
現代幻想文学の語り手が結集

10位

穏やかな死者たち
シャーリイ・ジャクスン・トリビュート

創元推理文庫
エレン・ダトロウ 編
edited by Ellen Datlow

得点 64点

二十世紀中頃に活躍した作家シャーリイ・ジャクスンは『丘の屋敷』『ずっとお城で暮らしてる』を始め、数々の傑作ホラーを遺した。彼女の作品に敬意を払ったトリビュートとして、現代の作家十八人が書き下ろした短編のアンソロジーが本書。作風のエッセンスを取り入れつつ、寄稿者それぞれの個性が顕《あらわ》れた作品が収録されている。表題作のカッサンドラ・コー「穏やかな死者たち」は、ひとつの殺人を発端に田舎の村が狂気に陥っていく物語。他にも、家族や共同体が秘めた不穏さ、平凡な人の密《ひそ》かな奇行、日常の傍に潜む邪悪な存在といった、身近にありそうな恐怖が描かれている。各作家が「ジャクスン作品らしさ」をどう捉えたのかを考えながら楽しむのも一興だ。

11位

迷いの谷
平井呈一怪談翻訳集成

創元推理文庫
A・ブラックウッド 他
A.Blackwood and others

得点 50点

「英国怪奇小説の三羽烏」としてアーサー・マッケンと並び称されたM・R・ジェイムズ、アルジャーノン・ブラックウッド作品を中心に、怪奇小説翻訳の巨匠の仕事を集成したシリーズ第2弾。戦前の訳業やハーンの怪奇文学講義なども併録。

12位

ブラッド・クルーズ（上下）

ハヤカワ文庫NV
マッツ・ストランベリ
Mats Strandberg

得点 48点

北欧のバルト海を毎日往復する大型クルーズ船に、今夜は吸血鬼の母子が紛れ込んでいた。1200人の乗客を運んだ逃げ場のない船上で、血塗られた死の饗宴が始まる。「スウェーデンのスティーヴン・キング」が贈る、驚愕のパニックホラー。

13位

忘却の河（上下）

竹書房文庫
蔡駿
CAI JUN

得点／45点

1995年、高校教師の申明《シエン・ミン》は殺人事件の犯人として疑われたまま何者かに殺されてしまった。9年後、申明の婚約者だった谷秋莎《グー・チウシャー》は、彼の生まれ変わりだという天才少年に出会う。「中国のスティーヴン・キング」が描く輪廻転生ミステリー。

14位

メアリ・ジキルと囚われのシャーロック・ホームズ

新☆ハヤカワ・SF・シリーズ
シオドラ・ゴス
Theodora Goss

得点／32点

ヨーロッパから帰還したメアリ・ジキルら〈アテナ・クラブ〉の面々を待ち受けていたのは、探偵シャーロック・ホームズとメイドのアリスが忽然と姿を消したという知らせだった。やがてメアリたちは大英帝国を揺るがす陰謀に巻き込まれる。

15位

シャーロック・ホームズとサセックスの海魔

ハヤカワ文庫FT
ジェイムズ・ラヴグローヴ
James Lovegrove

得点／31点

サセックスで隠退生活を送っていたホームズは、兄とともに邪神の脅威に立ち向かっていたダゴン・クラブの構成員たちが謎の死を遂げたことを知る。事件の陰には、仇敵モリアーティの存在が……。驚異のクトゥルー・パスティーシュ第3弾！

16位

ドイツ・ヴァンパイア怪縁奇談集

幻戯書房
ラウパッハ、シュピンドラー他
Raupach,Spindler et al.

得点／29点

吸血鬼文学の祖とされるポリドリ作品の影響のもと、1820～30年代にかけて発表された本邦初訳のヴァンパイア短編小説全7作に加え、訳者解題「ヴァンパイア文学のネットワーク」を併録。19世紀前半の吸血鬼ブームの実態に光を当てる1冊。

17位

九月と七月の姉妹

東京創元社

デイジー・ジョンソン

Daisy Johnson

得点／25点

内向的な性格のジュライは、１歳違いの暴力的な姉セプテンバーの支配下にあったが、二人の絆は揺るぎないものだった。学校で起きたある事件をきっかけに、姉妹は母親とともに亡父の生家へと移り住む。彼女たちにいったい何があったのか。

18位

夜間旅行者

ハヤカワ・ミステリ

ユン・ゴウン

YUN KO-EUN

得点／23点

被災地を巡るダークツーリズム専門の旅行会社に勤めるヨナは、社内で落ち目となった挙句、休職の代わりに自社企画の不採算ツアーの査定を命じられた。ベトナム沖の島ムイへ旅立った彼女は、そこで新たな災厄に見舞われることになる……。

19位

呪いを解く者

東京創元社

フランシス・ハーディング

Frances Hardinge

得点／22点

呪いの糸をほどいて取り除くほどき屋の少年ケレンと、まま母に呪いをかけられ鳥にかえられていた相棒の少女ネトル。二人は呪いに悩む人々の依頼を解決し、さまざまな謎を解き明かしながら、〈原野《ワイルズ》〉と呼ばれる沼の森に分け入り旅をする。

20位

吸血鬼ヴァーニー 或いは血の饗宴 第一巻

国書刊行会

ジェームズ・マルコム・ライマー＆トマス・ペケット・プレスト

James Malcolm Rymer, Thomas Peckett Prest

得点／20点

没落した名家バナーワース家に侵入した怪物が、娘のフローラを襲った。室内には、彼女からあふれる鮮血を吸う異様な音が響き……。ヴィクトリア朝期のイギリスで吸血鬼の雛形を創造したゴシック・ホラーの歴史的重要作、ついに完訳始動。

もっと知りたい!

「クトゥルフ神話」とは

二〇世紀初頭、アメリカの作家ハワード・フィリップス・ラヴクラフト（1890-1937）が生み出したホラー小説群から「クトゥルフ神話」は始まった。ゴシック・ロマンスの系譜を継ぎつつ、宇宙的恐怖と称される独自の世界観を持つ作品は、生前は広く評価はされなかった。だが、彼の死後、友人のオーガスト・ダーレスが、遺された文章の補作を発表したことを契機に、ラヴクラフト作品の世界観を受け継いだ小説を複数の作家が執筆し始める。そうして「シェアード・ワールド」としての発展を遂げたものが、現在まで続くクトゥルフ神話体系だ。

邪神「クトゥルフ」（翻訳によりクトゥルー、ク・リトル・リトルとも表記されるが、本来はその名は人には発音できない）を始め「ニャルラトホテプ」「アザトート」といった邪神たち、魔導書「ネクロノミコン」、架空の街「アーカム」といった様々な設定が共有され、地球の旧支配者である邪神たちと人類の戦いの物語が紡がれている。神話を元にしたTRPGも誕生、日本のライトノベルなどにも影響を与えつつ、その世界は現在も広がり続けている。

『クトゥルーの呼び声 新訳クトゥルー神話コレクション 1』
H・P・ラヴクラフト／著
森瀬繚／訳（星海社）

ラヴクラフト誕生100年を記念した新訳のシリーズ。注釈や年表、索引などが充実しており、初心者にも読みやすい構成となっている。

『狂気の山脈にて ―クトゥルー神話傑作選―』
H・P・ラヴクラフト／著
南條竹則／編訳（新潮文庫）

クトルゥフ神話の祖・ラヴクラフトの手による作品群の新訳。表題作ほか「時間からの影」「ダゴン」など8編を収録。

『クトゥルフの呼び声 ラヴクラフト傑作集』
田辺剛 著（KADOKAWA）

クトゥルフ神話を漫画化したシリーズ。他にも『インスマスの影』『狂気の山脈にて』など、現在9タイトルが刊行中。

『ねこのクトゥルフ』
ぱんだにあ 著（KADOKAWA）

クトゥルフ神話の神々と生き物たちが、なんと猫になって登場。ゆるゆるエッセイ風のクトゥルフネタ満載コミック。

海外編 1位

寝煙草の危険

マリアーナ・エンリケス
Mariana Enriquez

訳者／宮﨑真紀 メッセージ

年間ベストホラーを選ぶ『このホラーがすごい！　2024年版』の海外編で、エンリケス『寝煙草の危険』がなんと栄えある第一位を獲得したと連絡をいただいたときには、心底嬉しかったのと同時に、かなり驚きもありました。文芸寄りで、ジャンルホラーとはやや違う土俵にある本作ですが、だからこそ多くの方の心に響いたのかもしれません。本当にありがとうございます。

国書刊行会（当時）編集者の伊藤昂大さんと、スペイン語圏の比較的若い女性作家が恐怖をモチーフに面白い作品を次々に発表しているので、何冊かやりましょうということになり、選んだうちの一冊が本書でした。もともと大好きな作家だったので、企画が通ったときには小躍りしてしまいました。

〈アルゼンチンのホラー・プリンセス〉の異名をとるエンリケスですが、後書きにも書いたように、怪異をテーマにしつつも、アルゼンチンならではの社会情勢や歴史、女性問題などを隠れテーマとして作品に織り込んでいるところが特徴で、それは〝スパニッシュ・ホラー〟の女性作家全般に言えることかもしれません。彼女たちは、マチスモが今も幅を利かせる、ホラーを地でいく現実を生きているのです。ことにエンリケスの作品は、意地悪だけれどかわいくて、変態的だけれど笑えて、そこはかとなく悲しい、そして何と言っても、匂いたつグロテスクさとエロスが魅力なのではないでしょうか。文芸作品でもあるので、翻訳ではわかりやすくしすぎず、独特の味わいを伝えようと努めたつもりです。

ラテンアメリカ文学界では、アルゼンチンやメキシコなど一部を除けば、ジャンル小説といわゆる純文学との境界がほとんどないのですが、スペインではエンタメ界が盛り上がってきています。とくにホラーは人気が高く、もともとは映画から火がついた（ご存じのように名作、名監督がぞろぞろ）と言ってもいいでしょう。そんななか、昨年訳したマネル・ロウレイロ『生贄の門』が海外編第二位になったのは望外の喜びで、こういうスペインのド直球のジャンルホラーももっと紹介できればな、と思っております。

エンリケスの未訳の諸作品をはじめ、ほかにも新しい作家の面白怖い、新鮮なスパニッシュ・ホラー（文芸）をいろいろ企画中ですので、どうぞお楽しみに！

担当編集者／伊藤昂大 メッセージ

「せっかく出すのだから、埋もれないようにしたいですね」

すべては、訳者・宮崎真紀さんの、さりげなくも熱が伝わるこの一言からはじまりました。

本シリーズ〈スパニッシュ・ホラー文芸〉の第一作目にあたるエルビラ・ナバロ『兎の島』の翻訳出版の相談を宮崎さんに持ち掛けた際、「現代的なテーマとともに怪奇幻想を文学的筆致で描いた、スペイン語圏のあたらしい小説群」があることを教わりました。マリアーナ・エンリケス、サマンタ・シュウェブリン、グアダルーペ・ネッテル、フェルナンダ・メルチョールなどの作家が担う、この豊饒な最前線の文学的ムーブメントの存在を、年間七〜八万冊もの新刊が刊行される中で、「埋もれない」ように示してみたい、と宮崎さんに共鳴しました。そこで、このムーブメントを〈スパニッシュ・ホラー文芸〉という言葉で呼び、新ジャンルとして提唱することを考えました。そして宮崎さんの希望と発案で、複数の作品を同じ装丁デザインで紹介し、物理的にも分かりやすく形を与えることで伝える、という作戦を取りました。作品選定にあたっても、数多くの候補を宮崎さんからご提案いただきました。本作『寝煙草の危険』は、宮崎さんがとりわけ熱心に、「訳してみたい」とご紹介下さった作品でした。

そして「装丁にこだわる」べく、文芸誌『群像』をはじめ、現代文学の装丁を多く手がける川名潤さんにデザインを依頼。「現代文学感とホラー感の両立」「読者の生理的感覚に訴えたい」「思い切ったものにしたい」とリクエストしたところ、「函入り」「穴空き」「箔押し」「全ての部位で異なる種類の用紙と加工」という、数々の突き抜けたご提案をいただきました。とりわけ特徴的なのは表紙に施した「ソフマット」という加工で、ぬめっとした独特の手触りが、指先から非日常の世界へと誘います。

翻訳も素晴らしく読みやすい、最高に面白い一冊です。ぜひお手に取っていただけましたら幸いです。

〈スパニッシュ・ホラー文芸〉シリーズ

シリーズ第1作

『兎の島』

エルビラ・ナバロ（国書刊行会）

異常繁殖の末、共食いを繰り返しながら島を埋め尽くす兎たち――。日常が歪むさまをおぞましく描き切った現代スペインホラー文芸の傑作短篇集。

シリーズ第3作

『救出の距離』

サマンタ・シュウェブリン（国書刊行会）

2024年7月発売！

アルゼンチンの片田舎の救急救命室で横たわる女アマンダ、その横にたたずむ謎の少年ダビ。二人の会話のみで構成された異色な文体が不安と恐怖を煽る、まったく新しい幻想譚。

作家生活50周年記念
特別鼎談

スティーヴン・キングを語りつくせ!

Talk about Stephen King

阿津川辰海×斜線堂有紀×白石朗

2024年は記念すべき年である。「恐怖の帝王」スティーヴン・キングが小説の世界に降臨して半世紀、キャリア50周年を迎えたのだ。その偉業を祝し、キングに深い愛を抱く作家・阿津川辰海、斜線堂有紀、さらにキング作品の翻訳の多くを手掛ける白石朗に思う存分、彼の作品について語り合っていただいた。

聞き手・文=編集部

あつかわ・たつみ●1994年生まれ。新人発掘プロジェクト「カッパ・ツー」第一期に選ばれ、2017年に『名探偵は嘘をつかない』(光文社)でデビュー。近著に『黄土館の殺人』(講談社タイガ)。

しゃせんどう・ゆうき●1993年生まれ。第23回電撃小説大賞のメディアワークス文庫賞を受賞し、2017年に『キネマ探偵カレイドミステリー』(メディアワークス文庫)でデビュー。近著に『プロジェクト・モリアーティ1』(朝日新聞出版)。

しらいし・ろう●1959年生まれ。英米文学翻訳家。訳書に、スティーヴン・キング『ビリー・サマーズ』(文藝春秋)、ジョン・グリシャム『冤罪法廷』(新潮文庫)など多数。

斜線堂　私がキング作品を読みだした経緯はかなり特殊なんです。実は私の両親は「グリーンマイル」を至高の映画だと思っているんですね。だから子供にも観させたがって。でも私はあまりに怖くて最後まで観られなかったんです。何しろ小学校の低学年の頃ですから。

白石　あの映画は視覚的な刺激が強いですからね。特に電気椅子での処刑のシーンは、小さい頃に観てトラウマになった方も多いとか。

斜線堂　そしたら両親に「こんな素晴らしい映画を怖がるなんて!」とものすごく怒られて。

阿津川　そんな(笑)。

斜線堂　そこで代わりに、原作の『グリーン・マイル』を読むことで恐怖を克服しようと思ったんです。それがキング作品に触れたきっかけですね。原作を読んでどういう物語なのかを把握したら、あれだけ怖かった映画も不思議と観られるようになりました。

阿津川　私も元々ビビりなので、ホラーを読むとちゃんと夢に見ちゃうんですね。

だからキング作品にもしり込みする気持ちが強く、ずっと読めずにいたんですけど、高校二年生の頃に邦訳の出た『アンダー・ザ・ドーム』が、自分の一番読みたいタイプの設定だったんです。恐る恐る手を出してみたら、怖くはあるものの、それ以上にめちゃくちゃ面白くて。

白石　『アンダー・ザ・ドーム』は執筆時にエージェントから展開をもっとスピーディにするようアドバイスされたとのことで、「24」のようなテレビドラマに負けないくらい、構成もクリフハンガーの連続ですよね。

阿津川　そのインパクトで、キングを読むようになりました。

白石　最初に読んだのは大学一年のときの『シャイニング』。一九七八年にパシフィカという出版社から出たハードカバーでした。在籍していたミステリ関係の読書サークルで話題になっていて、上級生から貸してもらって読みだしたら引きこまれてやめられず、気がついたら徹夜して読みあげていました。それから、当時翻訳が出ていた『キャリー』と『呪われた町』をすぐに手に入れたんですが、邦訳の刊行ペースが少し遅くなった時期でしたので飢餓状態。結局原書ペーパーバックで『デッド・ゾーン』や『クージョ』を読んだのかな。それからはほぼリアルタイムで追いかけてます。初めての海外旅行の時もニューヨークの本屋で発売間もない『IT』の原書を買って、帰りの飛行機で読んでましたね。同行者には呆れられましたけど（笑）。

阿津川　お仕事で初めに関わられたのはどの作品ですか？

白石　長編の翻訳『ローズ・マダー』が最初です。その後は『グリーン・マイル』かな。この作品、最初は本国での刊行スタイルにあわせて新潮文庫で毎月一冊、六カ月連続刊行だったんですが、一巻の校了直前にようやく六巻のタイプ原稿が本国から来たんです。そしたら一巻での伏線の読みまちがいに気付いて真っ青、慌てて訂正したりしました。その後も、今訳しているのが五巻、四巻が初校、三巻は再校といった調子で、大変だったのをよく覚えています。でも大好きな作

『ローズ・マダー（上下）』
（新潮文庫）

警察官である夫の暴力から逃れるため、家を飛び出した主婦のローズが不思議な絵を購入したことから、彼女の周りで怪異が発生しはじめた。一方、妻に逃げられた男は、残忍な狂気によって執拗にその行方を追い始める。

『新装版 シャイニング（上下）』
（文春文庫）

ロッキー山脈の麓《ふもと》に建つ風光明媚なリゾート・ホテルに一冬の管理人として雇われた夫妻と、超能力を持つ5歳の一人息子。しかし、そこには呪われた歴史が存在した。雪に閉ざされたホテルで、悪霊が管理人一家を襲う！

『グリーン・マイル（上下）』
（小学館文庫）

時は1932年、アメリカ南部のコールド・マウンテン刑務所。死刑囚が最後に歩く電気椅子までの通路は、床が緑のリノリウムであることから「グリーン・マイル」と通称されていた。そこで起きた驚くべき出来事とは？

品なので、頭は混乱するけど楽しい苦労でした。

阿津川　その時とデビュー五十周年記念の今と、どちらが大変ですか？

白石　今のほうが大変かな（笑）。

阿津川　続々と刊行予定が出ていますものね。

白石　読むのも訳すのも追いつくのに一苦労。でも楽しい苦労ですし、キングは筆力の面では本当に歳を取らない。

斜線堂　キングとの対決みたいになっている（笑）。

白石　改めて作品リストを眺めているとくらくらしてきますよ。「なんてすごい人と同時代に生きていたんだ」と。

「ホラーの帝王」の異名は伊達じゃない！ここが怖いよキング作品

阿津川　高校生の頃まで、海外ホラーは楽しめても、日本のホラーは本当に怖くて駄目だったんですよ。

斜線堂　その感覚わかるなあ。

阿津川　「エクソシスト」は大丈夫だけど、「呪怨」で布団の中に霊が現れるシーンは寝る時いまだに思い出します。見えている光景が日常と近いほど、現実を侵犯されている感覚があって、怖い。その点、海外が舞台だと自分の生活空間とかけ離れているからひとまず安心できる。だけどキング作品に対しては、そのガードがまったく効かなくて。比喩や執拗な描写力で、読者の日常と恐怖をひたすら繋げようとしてくるんですよ。

白石　よくわかります。先ほど話題に出た映画「グリーンマイル」の電気椅子のシーンもむごたらしくて正視にたえない面はあるんですが、むしろ原作にあった、〝電気椅子のにおいは子供の頃に嗅いだ鉄道模型の電気部品と同じにおいだ〟という趣旨の描写のほうが、ぼくにとっては日常と地続きで、足もとをすくわれる恐怖を感じさせられました。そこが巧いと思いますね。

阿津川　日常にある不安に向き合っている作家だと思います。アイディアもそういうところから得ているのかなと。例えば「どんづまりの窮地」って短編は、そういう日常の不安を膨らませたような作品ですよね。

斜線堂　ああ、トイレに閉じ込められるやつ！

阿津川　いわゆるホラーではないですが、すごく怖いんですよ。簡易トイレの扉側を下にして倒され、そこから出られなくなるという話。

白石　発想が子供っぽいところがありますよね（笑）。観光シーズンの高速道路のサービスエリアに簡易トイレが並んでいて、入るたびにこれが倒れたらどうしようと考えていたと本人が書いていました（※）。トイレが出てくるキングの小説はだいたい面白いんですよ。いい例が『ドリームキャッチャー』の山小屋のトイレのシーンで、怖いんだけれども笑っちゃう。

阿津川　キング作品を論じる際に、キーワードとして「下劣さ」というのがよく言われますけど、トイレはその象徴かもしれませんね。

斜線堂　トイレでいうと「スニーカー」という短編も怖いです。ドアの下の隙間

※『夜がはじまるとき』（文春文庫）収録「サンセット・パーク」より。

から毎日同じスニーカーが見えるという話で、そもそもトイレの下の隙間なんて覗くなと思うんですけど(笑)、でも見ちゃう気持ちもわかるというか。

白石 『IT』の下水溝なんかとも通ずる想像力ですよね。日常の中のふとした隙間に怖いものがあるんじゃないかという。

斜線堂 私がキングで怖いと思う作品は、全部恐怖の質が同じなんですよ。まず「黒いスーツの男」という悪魔に追いかけられる短編、第二に『心霊電流』のラスト、そして呪われたトラックが徐々に近づいてくる「オットー伯父さんのトラック」。これらがトップ3で、共通点は、怖いものが今ではなく後からやってくること、その予兆が恐怖の要《かなめ》なことです。特に「黒いスーツの男」は、少年の頃ならまだしも老人になったら足が衰えて逃れられないだろうことが示唆されていて、逃げられないという不安を意識し続けなければならないのが嫌です。

白石 それで言うと『ミザリー』も怖いですよね。自分を閉じこめているアニーが外出した隙に車椅子で家のなかを捜索……ですが、彼女が帰宅する前にベッドに戻れるのかというサスペンスと恐怖がねっちり描きこまれています。

斜線堂 こいつから逃げないと確実に巻き込まれると自覚していながら、逃れられない。その状態で、アニーがダウナー状態になって、いつ癇癪を爆発させるかわからない、静の恐怖が一番怖いです。

阿津川 『ミザリー』で、タイプライターのNの文字が欠けてるじゃないですか。その時点では事故で足が折れているだけですが、その後で先に二文字目が欠けますよね。あの瞬間、すごく嫌な気分になったのを覚えています。ディティールが巧い。

――キング作品の話題から逸れますが、欧米圏と日本とで、恐怖というものの考え方や捉え方に違いはあるでしょうか?

斜線堂 欧米圏では神に見放される恐怖の側面が強いけど、日本では大いなるものに目をつけられる恐怖のほうが強いってよく言われますよね。その点、先ほどから話しているように、キング作品には日本的というか、日本人に親和性の高い

『夜がはじまるとき』(文春文庫)

簡易トイレに閉じ込められた男の窮地を描いた「どんづまりの窮地」のほか、猫を殺せと依頼された殺し屋を恐怖が襲う「魔性の猫」、父を見舞った私が不思議な少女と出会う「アヤーナ」など全6作を収録した短編集。

『ドリームキャッチャー(全4巻)』(新潮文庫)

いじめられっ子の少年を助けたことで不思議な力を授けられた悪童たちは、大人になった今も毎年恒例の狩猟旅行を楽しんでいた。だが奇妙な遭難者の出現が、人類の危機を救う戦いに彼らを駆り立てることに……。

『IT(全4巻)』(文春文庫)

27年周期でメイン州デリーに現われ、人々を恐怖に陥れる殺人ピエロ「IT」。1958年、七人の子供たちがそれに立ち向かって勝利を収めた。1985年、またもITが現われたことを知った七人は故郷で再集結する――。

恐怖がある。一方で、『シャイニング』とか『ドクター・スリープ』とか『グリーン・マイル』とか、主人公に課せられる使命が外から来るじゃないですか。因果を説明しがちな日本のホラーとは違って、なぜ何もしていないのに自分が立ち向かわなければいけないんだ、という恐怖だと思うんです。だから、日本的な怖さと海外的な怖さ、どっちもあるかなと。

白石　『ペット・セマタリー』のように自分の行動の結果としての恐怖や悲劇を描いている作品ももちろんあるんですが、逆に『アンダー・ザ・ドーム』に顕著なように、因果や理由もないままにすさまじい不幸が突然襲ってくるパターンも多い。舞台になったチェスターズミルの町の人たちは生活を営んでいるだけで、あんな目にあって当然じゃないんですが、世界には理由も説明もつかない恐怖があるというのはキング作品のひとつの柱になっている気がします。

阿津川　反対にその土地に過去、何かがあったというパターンだと、『デスペレーション』の鉱山とかがそうですよね。

白石　『骨の袋』も美しい湖畔の町に隠された過去の忌まわしい事件がひとつの柱でした。小説ではなく「スティーヴン・キングのキングダム・ホスピタル」という連続ドラマでは、南北戦争期にメイン州にあった繊維工場にからむ過去の因縁が現代の大病院にめぐってくる。ただキング作品では、過去に悲惨な事件が起こったのには、そもそもその土地が悪のあつまる〝バッド・プレイス〟だったからという考えが強い印象があります。キング作品でおなじみのメイン州の架空の町のデリーやキャッスルロックが典型でしょう。

阿津川　課せられた使命による恐怖という指摘は、『ファイアスターター』や『異能機関』の魅力をもとらえていると思います。『ファイアスターター』といえば、私、同作よりも先に宮部みゆきさんの『クロスファイア』を読んでいまして。『呪われた町』を知ったのも小野不由美さんの『屍鬼』を読んでからだし、『死のロングウォーク』よりも恩田陸さんの『夜のピクニック』のほうが先、というように、

『クロスファイア（上下）』
宮部みゆき（光文社文庫）

深夜の廃工場で瀕死の男を始末しようとしている若者たちを目撃した青木淳子は、瞬時に彼らを焼き殺した。彼女は念じるだけで炎を操れる念力放火能力者だったのだ。淳子は一人だけ逃してしまった若者の行方を追う。

『屍鬼（全5巻）』
小野不由美（新潮文庫）

人口1300人の小さな集落、外場村。周囲から隔絶したこの地で、3人の村人の腐乱死体が発見された。村で唯一の医者はその死に不審をおぼえていたが、事件性はないと判断される。しかしその後も次々と村人が死んでゆき……。

『夜のピクニック』
恩田陸（新潮文庫）

全校生徒が夜を徹して80キロ歩き通す、高校生活最後のイベント「歩行祭」。3年間誰にも言えなかった想いを清算すべく、甲田貴子はある誓いを抱いてその日に臨んだ。ゴールが迫る中、彼女は密かに焦燥感に駆られていた――。

様々な国産小説の先行作としてキングを受容しているんです。新本格ミステリーから、海外の古典ミステリーへと遡った時の流れと同じなんですよね。そう思うと、もはや古典というかマスターピースのイメージもある作家が、今も現役バリバリで書き続けているというのは衝撃ですよ。まさに帝王、ですね。

作家は元を取ろうとする？
キングから学ぶ
作家の生き方とは

斜線堂　キングの自伝的創作指南書である『書くことについて』を、私は一週間に一度くらい読み返しているんです。

阿津川　え、それは、なんでまた……？

斜線堂　辛いときに励みになるんです。そこでキングが主張しているのは、自分は執筆を休まない、毎日書かなければいけないということ、そして、作家というのは書くだけじゃなくて一冊でも多く読まなければならないということの二つ。

白石　キングは車に乗っている時にオーディオブックを聴いてるんですよね。

斜線堂　運転中、ラジオやスポーツ中継を聴く代わりにオーディオブックで読書をしていると聞いて、それですごく腑に落ちたんです。作家人生において必要なものを取捨選択できているからこそ、キングはこれだけ書けているんだなと。それで私も『書くことについて』を読んで以来、オーディオブックを聴くことが習慣になりました。音楽を聴きたい時もオーディオブックを優先するし、音楽を聴く時もキングのことを考えてしまう呪いがかかってるんです（笑）。

阿津川　キングだってこの本では、執筆する時はドアを閉めて、ハードロックをがんがん鳴らすって言っているんだから、音楽聴いてもいいじゃないですか！（笑）

斜線堂　でもオーディオブック聴いていれば年に七、八冊は読書量が増えるから……。

阿津川　ちなみに『書くことについて』はいつ読んだんですか？

斜線堂　新訳版が出てわりとすぐだったと思います。

阿津川　二〇一三年刊行だから、ということはデビュー前からそんな呪縛を背負って生きてるんですね……（笑）。

白石　実際、今でもキングは相当読んでますよね。X（Twitter）を見てると、近刊や新人作家の作品を読んで「これはいいぞ！」とよくおすすめしています。お話の出た『書くことについて』の巻末の参考図書リストも素晴らしいじゃないですか。世間の人がよく「キング絶賛って地雷でしょ」っていいますが、じつさいには純文学からミステリーなどのエンターテインメントまで幅広いジャンルを読んでいる目利きだと思います。

阿津川　驚異的ですよね。

『書くことについて』
（小学館文庫）

モダン・ホラーの巨匠が、その生い立ちや成功する秘訣、文章の極意など、自らの「書くことについて」を解き明かした自伝的文章読本。巻末には著者が2001年から2009年にかけて読んだ本の中から選んだベスト80冊を掲載。

白石　『書くことについて』で印象的なのは、かつてアルコールとドラッグ依存症だったことや交通事故後に鎮痛剤中毒になったことなどを赤裸々に書いている部分ですね。思えば、事故の後は『回想のビュイック8』や『ドリームキャッチャー』などで陰惨な事故描写を書いていますし、『アンダー・ザ・ドーム』の鎮痛剤中毒の登場人物の苦しみなどは、かなりの部分実体験に基づいているんじゃないかな。そういった自分の経験をホラーとして普遍化させてしまうのは作家魂というか。作家の方々ってみんなそうなんですかね？

斜線堂　元を取ろうとは思いますよね。嫌だったこととか。

阿津川　『ミザリー』だったかな、作家に訊けば自分の体についている傷跡の由来はすべて記憶しているものなんだ、というくだりがありましたけど、それも元を取ろう根性に通ずるものなんでしょうね。大きな傷からは作品が生まれる、とその頃から言っています。そういえば『スティーヴン・キング大全』の『ビリー・サマーズ』の項に「これまで書いた本の中には、書くことをある種の中毒性とみなす作品がある。しかし二冊だけは異なる。ひとつは『ミザリー』で、もう一冊が『ビリー・サマーズ』だ。それらの作品では、書くことが救いとなることが語られている」というキングの言葉があったんですけど、『ミザリー』をそういう信念で書いていたのかと、ひっくり返りました。

――新刊の『ビリー・サマーズ』についてはどう読まれましたか？

阿津川　作家のふりをする殺し屋が主人公というのもあって、冒頭からグッと摑まれました。作家が主人公の犯罪小説としては、これまで『ミザリー』や『ダーク・ハーフ』、中編『秘密の窓、秘密の庭』などがあるのですが、これらの作品には、面白くもどこか暗さがあって、その暗さに惹かれていました。しかし、『ビリー・サマーズ』は最後に爽やかに風が吹き抜けていくような作品にもなっていて、好みど真ん中の作品でしたね。もちろん、殺し屋ものとしての面白さも無類です。

『ビリー・サマーズ（上下）』（文藝春秋）

凄腕の殺し屋、ビリー・サマーズ。引退を決意して受けた「最後の仕事」のため、小説家を装って街に潜伏することに。だが、何かがおかしい。彼は安全策として、さらに新たな身分を用意し、奇妙な三重生活を始めだした。

斜線堂　犯罪小説というより、小説家小説として読みました。作家というのは、自分自身をどれだけ切り売りできるかという問題に直面すると思うんですけど、ビリーの場合、小説を書くことによって自分の人生を所有する、という意識が強いと思うんです。彼の今までの人生は他人が軸になっていたけれど、それを自らの手で書き直すことで自分の人生を取り戻している感じがしました。キング自身、自分の体験を小説化して元を取るというのは、自分の意のままにならないことを調伏して従えるようなことだと思うんです。だからこそ『ビリー・サマーズ』の物語を書けたんじゃないかと思うし、キングは物語を書くことが本当に好きなんだなと感じました。

三氏が選ぶ オススメ&偏愛のキング作品

――最後に、「これからキング作品を読む人にオススメの一作」「キングの作品世界をもっと楽しみたい人にうってつけの一作」をそれぞれ教えてください。

斜線堂　初めの一作はやっぱり『ミザリー』で。映画の印象が強いですが、映画では描かれていない部分がわりと多くて、小説を読むとアニーの印象がけっこう変わるんですよ。それを体験してほしい。もっと楽しみたい人には『最後の抵抗』を。立ち退きを拒む人の話なんですけど、何かを決めた瞬間に引っ込みがつかなくなって転がり落ちていく様が、今の時代の閉塞感にあっているかなと。これを機にぜひ復刊してほしい。

阿津川　初めの一作は、今なら文春文庫の『ミスト　短編傑作選』かな。長編は長さでしり込みする人も多いと思いますが、これは短編五作で三百ページくらいだから読みやすいですし、閉塞空間でのキャラクター描写の巧さや、大いなる理不尽なものが襲いかかってくるというキングのホラーの典型は「霧」だけ読んでも伝わるでしょうから。もっと楽しみたい人には『ダーク・ハーフ』で。リチャード・バックマンがキングの別名義だったことがバレた時の騒動をもとに書かれた小説、というのは予備知識として知ってる人も多いかもしれませんが、これは引き裂かれた半身との戦いを描いた小説なんです。この時期までのキングの技巧が満載で、好きな小説です。

白石　映像化されているほうが入りやすいでしょうから、初めの一作は『グリーン・マイル』かなと考えていたんですが、もっと有名なのは『スタンド・バイ・ミー』じゃないかと。同書にはもう一編「マンハッタンの奇譚クラブ」というホラーも収録されています。中編四編が収録された原書が邦訳では二分冊になっていて、残る二編は『ゴールデンボーイ』というタイトル。こちらには「ショーシャンクの空に」の原作とダークな表題作収録。この二冊を読めば、映画で馴染みのある二作とキングらしいダークな二編の計四編が楽しめます。もっと楽しみたい人というか、ある時期離れていた人には近作『異能機関』を。超能力少年少女の活躍というキングの十八番的な要素もあるし、長さのわりには読み心地も軽いので。

斜線堂　最後に個人的な興味なんですが、一番好きなキング作品はなんですか？

阿津川　『ビリー・サマーズ』に上書きされる前は、やっぱり原体験なので『アンダー・ザ・ドーム』でしたね。斜線堂さんは？

斜線堂　私は『心霊電流』かなあ。

白石　僕は自分が訳したものでいうと『11/22/63』ですね。

――本日はありがとうございました。

（二〇二四年三月　宝島社にて）

阿津川辰海

MY BEST！

『アンダー・ザ・ドーム（全4巻）』（文春文庫）

人口2000人ほどの小さな田舎町チェスターズミルはある日、巨大で透明なドームによって外界から遮断される。脱出不能な町の中、さまざまな人々の思惑が交錯し、やがて住民全員に被害を及ぼす大惨事が起き……。

作品世界をもっと楽しみたいなら

『ダーク・ハーフ』（文春文庫）

売れない純文学作家サドには裏の顔――暴力的な作品で人気のベストセラー作家ジョージ・スターク――があった。純文学で売れたいサドはすべてを公表し、ジョージ・スタークという名を葬ることを決意するが……。

これから読む人にオススメ

『ミスト 短編傑作選』（文春文庫）

豪雨の後に立ち込めた、目の前さえ見通せぬ深い霧。その奥には「何か」がいて、人をさらう――。スーパーマーケットに立てこもった人々は、次第に恐怖と狂信に呑まれていく。表題作「霧」他、5作品を収録した1冊。

斜線堂有紀

MY BEST！

『心霊電流（上下）』（文春文庫）

「僕」に電気仕掛けのイエス・キリスト像を見せてくれた敬虔な牧師は、美しき妻と幼い子供を喪った事故をきっかけに町を離れた。そして数十年後、「聖なる電気」の使い手としてカルト的な信仰を集めていた――。

作品世界をもっと楽しみたいなら

『最後の抵抗』（扶桑社ミステリー）

高速道路建設のために自宅の移転を迫られた男が、それに抵抗するうち狂気に堕ちてゆく姿を描いたサイコ・サスペンス。家族と部下を失い、酒に溺れ、犯罪も暴力行為も厭わなくなった男が行きつく末路とは――。

これから読む人にオススメ

『ミザリー』（文春文庫）

事故で重傷を負った流行作家・ポールは、通りがかりの元看護士・アニーに救われ、彼女の家で治療を受ける。彼の小説の大ファンを自称する彼女は、しかし、最新作の結末に納得がいかないと言ってポールを監禁し……。

白石朗

MY BEST！

『11/22/63（上中下）』（文春文庫）

2011年に生きる教師ジェイクは、余命いくばくもない友人から夢を託される。その夢とは、タイムトラベルで1963年のケネディ暗殺を阻止することだった！『このミステリーがすごい！2014年版』海外編1位。

作品世界をもっと楽しみたいなら

『異能機関（上下）』（文藝春秋）

12歳の少年ルークには、ごく小さな物なら触れることなく動かせるという特殊能力があった。ある夜、謎の一味によって〈研究所〉と呼ばれる施設に連れ去られた彼は、そこで、残忍な実験を目の当たりにする。

これから読む人にオススメ

『スタンド・バイ・ミー 恐怖の四季 秋冬編』（新潮文庫）
『ゴールデンボーイ 恐怖の四季 春夏編』（新潮文庫）

1982年にアメリカで出版された“Different Seasons”を分冊した、各巻2編の中編集。死体探しの旅に出た少年４人の物語「スタンド・バイ・ミー」他、キング作品の魅力がホラージャンルに限らないことを知らしめる。

テーマ別
注目作品
レビュー
&コラム

2024
Reviews & Columns

読者を“当事者”にするリアルな恐怖 モキュメンタリー・ホラーの潮流

朝宮運河
あさみや・うんが

Profile

怪奇幻想ライター・書評家。各媒体でホラー・怪談などに関する記事を執筆。ホラーアンソロジーの編纂も手がける。

pick up!

『残穢』小野不由美（新潮文庫）

今日のホラーを語るうえで、モキュメンタリーは無視することのできない一潮流だ。モキュメンタリー／フェイク・ドキュメンタリーとは、実録を装って作られたフィクションのことで、前者はまがいものを意味する英語mocとdocumentaryを組み合わせて生まれた語である。英語圏ではモキュメンタリーとフェイク・ドキュメンタリーに区別があるようだが、日本ではほぼ同義で扱われているため、本稿では以下モキュメンタリーで統一する。

もともとは映像方面で生まれた用語で、この手法を用いたホラー映画は近年も数多く作られている（たとえば台湾ホラーの話題作『呪詛』など）が、活字のホラーでも力作・話題作が相次いでいるのだ。

モキュメンタリーブームの呼び水となった作品とは？

その呼び水となった作品といえば二〇一二年刊行の小野不由美《おのふゆみ》**『残穢《ざんえ》』**（新潮文庫）だろう。ノンフィクションを思わせる淡々とした筆致で綴られた同作は、虚構と現実が入り乱れるモキュメンタリー・ホラーの面白さと怖さを多くの読者に知らしめた。その後、この手法に精力的に取り組む三津田信三の**『どこの家にも怖いものはいる』**（中公文庫）、プロフィール一切不明の作家・阿澄思惟《あすみしい》がネット上で発表した**『忌録《きろく》documentX』**、土俗ホラーの旗手・芦花公園のデビュー作**『ほねがらみ』**（幻冬舎文庫）などが書き継がれている。

そうした流れを受けて生まれたのが、二三年の国内ホラーを象徴するヒット作、背筋《せすじ》**『近畿地方のある場所について』**だ。オカルト雑誌編集部に集まってきた無数の怪談がリンクし、近畿地方のある土地を中心に広がる、おぞましい秘密を暗示する、という作品である。その書きぶりは徹底してドキュメンタリータッチが貫かれており、ホラー小説ファンはもちろん、普段小説をあまり読まない層にも〝なんだか妙にリアルな怖い話〟として受け入れられたのは想像に難《かた》くない。

　モキュメンタリーの武器は、まさにこのリアルさにある。架空のキャラクターではなく、実在するどこかの誰かが体験した話、という体《てい》を装うことでフィクションと現実の境目が曖昧になり、読者自身も当事者となったような緊張感が生じる。この緊張感がホラージャンルと相性がいいのは、言うまでもないだろう。

　背筋と相前後して注目を集めたモキュメンタリーの書き手には梨《なし》と雨穴《うけつ》がいる。ネット媒体・オモコロのライターとして活動、生々しい手触りの怪談記事**「瘤談《りゅうだん》」**が話題となった梨は、黎明期のネット空間に漂っていた悪意と霊的気配を巧みに再現したモキュメンタリー**『かわいそ笑』**(イースト・プレス)で書籍デビュー。二三年刊の**『6』**はフィクションの枠組みとモキュメンタリーの手法を組み合わせた連作で、作者の手数の多さを堪能できる。梨は他ジャンルのクリエイターとも積極的に関わっており、**『テレビ放送開始69年 このテープもってないですか?』『祓除《ふつじょ》』**などのテレビ番組、**『その怪文書を読みましたか』**などで、モキュメンタリーの可能性を追求している。

　今年**『変な家2』**を上梓、シリーズ前作**『変な家』**(飛鳥新社)が映画化された雨穴も、オモコロ出身のウェブライターだが、白い仮面をつけたユーチューバーとしての顔の方が有名だろう。間取り図を仔細に眺めることで、その家に住人のおぞましい闇が浮かび上がってくるという「変な家」シリーズは、凝った仕掛けのミステリーでありながら、最後まで実録ものである体を崩さない。謎解きの面白さとモキュメンタリーのもつある種のいかがわしさが見事にマッチして、シリーズは大ヒットを記録した。

モンスターとの死闘を描いたモキュメンタリー!?

　海外作品ではマックス・ブルックス**『モンスター・パニック!』**(浜野《はまの》アキオ訳/文藝春秋)が、モキュメンタリーの手法を用いている。ブルックスのもとに届けられた手記には、凶暴極まるモンスターと人間の死闘の様子が描かれていた。インタビュー集の形を取ったゾンビパニック小説『WORLD WAR Z』(文春文庫)で知られるブルックス、フェイクの手法がよほどお気に入りらしい。

　なお一口にモキュメンタリー・ホラーといっても、題材の選び方やリアリティラインの引き方は作家によって千差万別。すでに一般化したモキュメンタリーという形式の上で、どれだけ新しい恐怖を見せられるのか、作家の創意工夫が試される局面になっている。

pick up!

『モンスター・パニック!』マックス・ブルックス(文藝春秋)

日常とは一味異なる謎解きの世界 ホラー・ミステリーの潮流

千街晶之
せんがい・あきゆき

Profile

1970年、北海道生まれ。『水面《みなも》の星座　水底《みなそこ》の宝石』（光文社）で日本推理作家協会賞と本格ミステリ大賞をダブル受賞。著書に『ミステリ映像の最前線　原作と映像の交叉光線《クロスライト》』（書肆侃侃房）など。「週刊文春」「ＳＦマガジン」などに書評を連載中。

客の求めに応じて貸し出される幽霊が憑いた品物

通常のミステリーに出てくるような犯罪ではなく、オカルト絡みの謎を専門的に解明する探偵役を、ゴーストハンター、あるいはオカルト探偵などと呼ぶけれども、この種のゴーストハンターを今最も数多く生み出している作家は阿泉来堂《あずみらいどう》だろう。デビュー作『ナキメサマ』（角川ホラー文庫）などに登場した作家の那々木悠志郎《ななきゆうしろう》、『贋物霊媒師　櫛備十三《くしびじゅうぞう》のうろんな除霊譚』（PHP文芸文庫）などで活躍している櫛備十三がその代表だが、連作短編集**『死人《しびと》の口入れ屋』**には、「古物商　阿弥陀《あみだ》堂」を営む阿弥陀なる謎めいた男が登場した。彼は「忌物《いみもの》」と呼ばれる幽霊が憑いた品物を、客の求めに応じて貸し出すのが職業である。しかし、金さえもらえれば、忌物を借りた客や、客が忌物の力を借りて恨みを晴らそうとしている相手がどうなろうと知ったことではないというのが阿弥陀のスタンスであり、阿弥陀堂で働きはじめた正義感が強い霊感持ちの元刑事・久瀬宗子《くぜもとこ》はそんな雇い主に反撥しつつ、従業員として経験を重ねてゆく。著者のゴーストハンターものは本格ミステリーとしても趣向が凝らされているのが特色であり、本書も例外ではない。登場人物の誰が善人で誰が悪人か、見抜くのは至難の業だろう。

pick up!

『死人の口入れ屋』
阿泉来堂

大人になっても怪談好きな人間は当然多くいるにせよ、人生のうちで最も怪談などの怖い現象に惹かれ、わくわくしてしまうのは子供の頃ではないだろうか。今村昌弘《いまむらまさひろ》**『でぃすぺる』**の主人公・木島悠介《きじまゆうすけ》は、オカルトが大好きな小学生。彼は壁新聞を趣味のオカルト記事で埋めつくすため掲示係に立候補し、クラスの優等生・波多野沙月《はたのさつき》、転校生の畑美奈《はたみな》の三人で、町の七不思議を調査することになる。だが、波多野は悠介とは反対にオカルトなど全く支持しないという立場。そして畑は、両者の言い分を平等に聞いて冷静に判断を下す立場だ。このトリオが七不思議を調査するうちに、小学生では手に負えないような恐るべき秘密が立ちはだかることになる。『屍人荘《しじんそう》の殺人』(創元推理文庫)などの特殊設定ミステリーで知られる今村昌弘の作品だけに、合理的に決着するか怪談として結末を迎えるか、なかなか予測できないというスリリングな読書体験を味わえるだろう。

実在したホテルが舞台の韓国版ゴシック・サスペンス

似たような設定でありながら、読み心地は正反対とも言えるホラー・ミステリーが手代木正太郎《てしろぎしょうたろう》『**涜神館殺人事件**《とくしんかん》』と、彩坂《あやさか》美月《みつき》『**double〜彼岸荘《ひがんそう》の殺人〜**』である。前者は、過去に悪魔崇拝の儀式が行われ、しかも前の所有者が中庭から消失したという曰くつきの館に、イカサマ霊媒師と心霊鑑定士のコンビをはじめ、心霊考古学者や心霊写真家らが招待される。後者は、幽霊屋敷の謎を解き明かしたいという富豪の依頼で、念動力者、予知能力者、サイコメトリストらがその屋敷に集結する。両作とも、オカルトの専門家が集まったクローズドサークル状態の屋敷で連続殺人が起こるという筋立てであり、登場人物たちの霊能力が本物であるという前提や、フーダニットとしての意外性を狙った点も共通しているが、エログロてんこ盛りの前者と、端正な作風の後者とでは印象がずいぶん異なる。似た設定でも、書き手によっておのおのの個性が必ず出るという見本である。

最後に海外小説から一冊。韓国の作家カン・ファギルの『**大仏ホテルの幽霊**』は、タイトルにある仁川《インチョン》の実在するホテルをめぐる物語だ。著者自身がモデルと思しき作家の「私」は、悪意ある謎の声に執筆を邪魔されている。執筆中の小説に出てくる場所が大仏ホテルに似ていると教えられ、その跡地へ赴いた「私」は、緑のジャケット姿の女を目撃するが、一瞬後には消えてしまった。一九五五年、大仏ホテルでは緑のジャケットが似合う女が死んだという……。そして第二部では、一九五五年の大仏ホテルの内外で繰り広げられた出来事が綴られるのだが、第一部・第二部・第三部それぞれの冒頭には、『丘の屋敷』『ずっとお城で暮らしてる』(ともに創元推理文庫)で知られるアメリカの作家シャーリイ・ジャクスンの文章の引用が掲げられている。のみならず、本書にはジャクスンが意外なかたちで関わってくるのだ。そればかりか、文学史に名を残すもう一人の作家も……。韓国の現代史を背景としたゴシック・サスペンスでありつつ、入れ子構造の語り/騙りに工夫を凝らしたミステリーでもあるという、読み応え充分の一冊である。

pick up!

『大仏ホテルの幽霊』
カン・ファギル

虚実皮膜の間に楽しむ！ 実話怪談の嗜《たしな》み

蛙坂須美
あさか・すみ

Profile
作家。単著『怪談六道　ねむり地獄』、共著『実話奇彩　怪談散華』『怪談番外地　蠱毒の坩堝』など。他に文芸誌にエッセイや評論、短編小説を寄稿している。

実話怪談とは？　一言で表すなら「本当にあった怖い話」である。ではその「本当」の部分をいかに担保するかといえば、怪異の体験者への直接取材に依るほかない。いわゆる怪談作家が取り扱うのは、基本的にこの実話怪談である。重要なのは、いくつかの例外を除けば、読者にはその話の虚実を判断する方法がないということだ。実話怪談とは恐怖の文芸であると同時に、本当らしさの文芸、虚実皮膜《きょじつひにく》の間に遊ぶジャンルなのである。

実話怪談の歴史、そして最前線

ジャンルには固有の形式＝文体がある。今日の怪談作家が用いる文体は、既存の小説やルポルタージュのそれを借用した三人称を基調とするが、長寿シリーズ『「超」怖い話』の編集長を務めた平山夢明によって、地の文に体験者の台詞を挿入し、取材時の状況を読者に追体験させる聞き書きのスタイルが発展、確立された。また『「超」怖い話』と同時期に刊行された中山市朗《なかやまいちろう》、木原《きはら》浩勝《ひろかつ》による『新耳袋《しんみみぶくろ》』シリーズでは、ケレン味を極力廃した朴訥《ぼくとつ》な語りを採用することで、日常に紛れ込む非日常のエッセンスを巧みに抽出している。筆者を含めた後続の怪談作家たちは意識せずとしまいと、皆『「超」怖い話』『新耳袋』の影響下にあるといえよう。

pick up!

『現代奇譚集　エニグマをひらいて』
鈴木捧

上記を踏まえたうえで、いま実話怪談の最前線に触れたければ、鈴木捧《すずきささぐ》『**現代奇譚集　エニグマをひらいて**』を読むに如《し》くはない。鈴木はデビュー作『実話怪談　花筐《はながたみ》』以来、現世と異界の境界がゆるやかに溶け合うような怪異の表情を丁寧に描いてきた作家であり、本書は彼の第三作にあたる。幽霊の後ろ姿越しに見える風景を淡々と描写する「背中」、東日本大震災当日の電話が

pick up!

不可思議な事態を呼び込む「コーリング」など、個々の作品の完成度は無論のこと、収録作をそれぞれ五つの章に配列し、その主題を幾重にも反復、変奏していく構成も、既存の怪談本にはないスタイルだ。実話怪談だけでなく、怪談本というメディアの可能性をも拡張した一冊である。

　同じ若手でも、鈴木とは対照的なヘヴィ級のネタを得意とするのが若本衣織《わかもといおり》だ。狩猟者としての顔も持つ彼女の怪談では、人智では計り知れない存在による理不尽な暴力が多く描かれる。初単著**『忌狩怪談《いみがり》 闇《あん》路《ろ》』**では、ベテラン猟師が山で遭遇した不気味な存在を描く「赤い男」や、禁忌を破った者の前に現れる宝船とその祟りの顛末「捌」に顕著なように、登場人物たちは皆、神とも妖怪ともつかない超自然の存在に翻弄され、悲惨な結末を迎える。派手な話だけでなく「襦袢《じゅばん》」「失踪者のシャンゼリゼ」など、仄暗い情念渦巻く話をしっとり仕上げる筆も絶品。

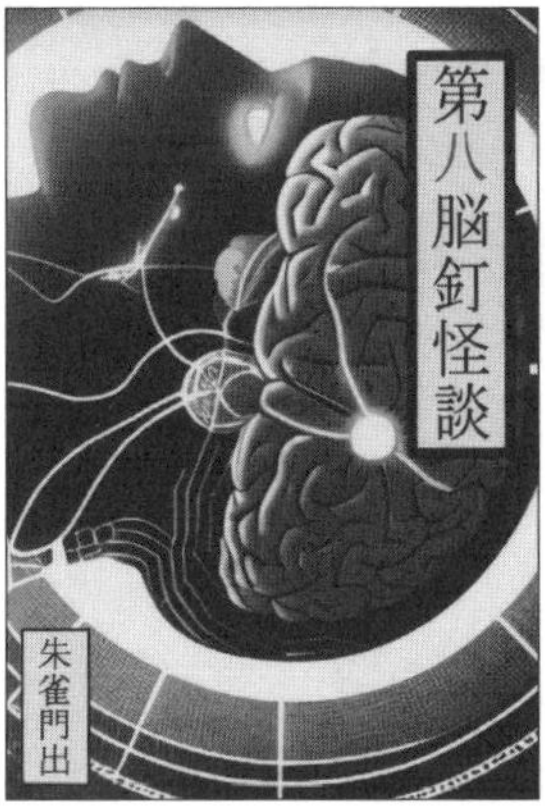

『第八脳釘怪談』
朱雀門出

[redacted]

幽霊より怖い異常な世界？

　ベテラン勢も負けてはいない。怪談＝幽霊の出てくる話と考えている人が一読、間違いなく腰を抜かすのが、不条理怪談の名手・朱雀門出《すざくもんいづる》の**『第八脳釘怪談』**だ。「死手前色猿のきっぷ運賃表」「裏まつりの人間タイヤ」「宇宙は茸を嗜好する」など、あらすじがほぼ意味をなさないため、任意のタイトルを挙げるにとどめるが、これだけでも本書の異常性が伝わるかと思う。世界の仕組み自体がバグってしまったとしか思えない怪異の釣瓶《つるべ》打ち。随筆風の飄々とした文体も愉快で、再読三読しても飽きがこない。

　川奈《かわな》まり子《こ》による**『家怪《いえかい》』**は、書名通り、家にまつわる怪談ばかりを集めた一冊。膨大な取材量と端正な文章に定評のある著者だが、本書では特に後者に振り切った感があり、叙情怪談の佳品というべきだろう。

　名うての怪談好きである煙鳥《えんちょう》の蒐集した怪談を、吉田悠軌《よしだゆうき》、高田公太《たかだこうた》が語り直すシリーズ第三弾**『煙鳥怪奇録 足を喰らう女』**は企画の新奇さだけでなく、実力派の著者二人によるアレンジの妙味が最大の読みどころ。

　コミックでは、つるんづマリー**『つるんづ怪談』**が、ごく普通の人たちが体験した怪異のリアルな手触りに加えて、実話特有のオチのなさ、投げっぱなしの感覚をも見事に掬い上げており、大変おもしろかった。

　最後になるが、筆者の初単著**『怪談六道 ねむり地獄』**は、怪談本を読むという行為が読者にとっての怪異体験になるよう構成した一冊。

　実話怪談の世界も日進月歩、単なる怪異の記録としてではなく、常に新しい表現が生み出されている文芸の形式なのである。

語り、広め、時には競う 奥深き怪談師の世界

吉田悠軌
よしだ・ゆうき

Profile

1980年、東京生まれ。怪談文化、特に実話怪談の収集と研究を行っている。今年7月に『ジャパン・ホラーの現在地』（集英社）、『教養としての最恐怪談―古事記からTikTokまで―』（ワン・パブリッシング）が刊行予定。

「実話怪談」とは、不思議な体験をした人に取材し、その体験談を文章や声の語りにて再話する活動である。いわゆる「本当にあった怖い話」だが、怪談を怪談たらしめる条件はあくまで「不思議」なので、語られる内容は恐怖だけに限らない。ひたすら不条理な体験、歴史文化的に興味深い事例、思わず笑えてしまう話だったりと様々だ。

「怪談師」ってなに？コンテストや賞レースも

現在は「怪談師」とも呼ばれるプレイヤーたちが大量に活動しており、数えきれないほどの怪談ライブが各地で行われている。そこに集ったファンとともに「こんな怖い話、不思議な体験があったよ」というセンス・オブ・ワンダーを楽しむのだ。また最近の怪談師は十～二十代の若者、これまで少なかった女性たちの参入も珍しくない。

実話怪談というジャンル概念が形成されたのは一九九〇年代から。『新耳袋』『「超」怖い話』の作家陣たちが、それまでの怪談文化とは一線を画す独特のジャンル形式を創造していった。これに触発された（私を含む）一般のファンたちが、自らも実話怪談プレイヤーとして活動し始めたのは二〇〇〇年代から。彼らが「怪談師」と呼ばれるようになったのは二〇一〇年代以降だが、この呼称が一般にまで定着したのは、爆発的に新規参入者が増えた二〇二〇年前後のいわゆる「怪談ブーム」から。なので二〇〇〇年代以前から実話怪談に親しんでいた（私のような）プレイヤーたちはあまり自ら「怪談師」とは名乗らない。あくまで怪談ブーム以降の若手世代が気負いなく自称しているネーミングと捉えるべきだろう。

ではなぜこれら若手世代が大量に実話怪談業界に入ってきたのか。その一因として、二〇一〇年代末からのコンテストや賞レースの隆盛が挙げられる。いわば怪談版M-1グランプリのような、怪談語りのパフォーマンスを競い優勝を目指す大会が多数開催され、「怪談最恐戦」「怪談王」「OKOWAチャンピオンシップ」「怪談グランプリ」と、一年に四大会が乱立した時期もあった。いずれも企業の主催・協賛がつき、百万円レベルの賞金が出るような大規模企画で、新人が名を売るには最適な場だったのだ。その流れはいまだ続いており、例えば「OKOWA」は無くなったが「T-1グランプリ」が新たに発足するなど、怪談ブーム

の勢いは衰えていない。なにかを表現したい若者にとって、今は「怪談師になること」が選択肢の一つになっているのだろう。

文章で楽しむ怪談師の語り

と、ここまで語りのパフォーマンスに着目してきたが、先述通り、実話怪談には文章としての側面もある。最近では怪談師として知名度の上がったものが著作を依頼されるという流れで、文筆デビューする若手が多い。竹書房の怪談文庫は月五点というハイペースで、KADOKAWAや二見書房も定期的に実話怪談本を刊行しているのは、ある程度確かな実売数が期待できるからであり、出版不況の中では珍しい状況だろう。

ここで昨二〇二三年の実話怪談関連書籍の傾向を探ってみると、また面白いトレンドが浮かび上がってくる。従来の怪談師たちによる怪談本が多数出版されているのは勿論だが、昨年目立ったのは怪談業界外からの著者の参入だ。ミュージシャンのつるんづマリー『**つるんづ怪談**』、ゲームクリエイターの渡辺浩弐《わたなべこうじ》『**中野ブロードウェイ怪談**』、NHK「業界怪談 中の人だけ知っている」制作班『**業界怪談**』、探偵社ガル・エージェンシー『**探偵怪談**』など。これまでなかった傾向であり、実話怪談に対する世間の認知が高まったからこその現象と捉えても牽強付会ではないだろう。

また四谷怪談を細密に紹介した川奈まり子『**眠れなくなる怪談沼　実話四谷怪談**』や、明治から昭和初期の実話怪談を集めた田中貢太郎《たなかこうたろう》『**日本怪談実話〈全〉**』の文庫化（河出文庫）など、実話怪談のルーツを古典へと探る動きも活発だ。さらに研究者による学術書でも、及川祥平《おいかわしょうへい》『**心霊スポット考**』（アーツ・アンド・クラフツ）や廣田龍平《ひろたりゅうへい》『**〈怪奇的で不思議なもの〉の人類学**』（青土社）が刊行。いずれも直截に実話怪談を扱っている訳ではないが、広い意味での怪談文化に目配せした書籍といえよう。

これまで狭いサークルだった実話怪談界隈だが、今では怪談師にならんとする新規参入者が増え、業界外からの注目も集まっている。現代日本ホラー小説にしても、実話怪談の影響をいっさい受けていない作品の方が少ないはずだ。本誌『このホラーがすごい！』が記事にしてくれるのが、そのなによりの証拠ではないだろうか……。

pick up!

『T-1グランプリ』

YouTubeチャンネル『たっくーTVれいでぃお』が主催する怪談師のコンテスト。本選はYouTubeでも生配信され、ゲスト審査員と視聴者の投票結果で優勝者が決定される。2023年の3月に始まり、2024年3月にも開催された。

観る恐怖、聴く恐怖……
ホラー映画も見逃せない!

三橋暁
みつはし・あきら

Profile

「ど根性ガエル」や「いぬやしき」の舞台となった練馬の町で幼少の砌《みぎり》を過ごしたライター。今は、ホラー小説と映画を糧にして、酒ばかり呑んでるダメな老人です。

「ハロウィン」に二度目の幕が降りると、今度は新たに「エクソシスト」のリブートが始まり、「ゴーストバスターズ」はシリーズ最新作が登場。クローネンバーグやダルジェントといったレジェンドが帰還を果たす一方で、4Kレストア版による**『ヴィデオドローム』**や**『ヘル・レイザー』**シリーズのリバイバルなど、映画館では、しばしば前世紀への心地よいタイムスリップ感を味わった一年だった。しかし、ホラー映画界が停滞してたというわけでは勿論ない。

さまざまな経歴の監督がおのおのの持ち味を発揮!

おおっ、そうきたか!と思わず膝を叩いたのが、**『TALK TO ME/トーク・トゥ・ミー』**だ。死霊を自らに憑依させる遊びに興じる若者らが、調子に乗り過ぎて90秒の制限時間をオーバー。ヒロインの高校生は魂の抜け殻になってしまった親友の弟の姿に愕然とするが。死後の世界に橋渡しをするオブジェ(人間の腕の剝製)の不気味な佇まいが、なんとも忌わしい。YouTuber出身という監督コンビのフレッシュな感覚は、異次元級のラストにも炸裂。

先のアカデミー賞授賞式におけるミシェル・ヨーへのふる舞いには甚だ疑問のあるエマ・ストーンだが、異才ヨルゴス・ランティモスがアラスター・グレイの同題原作をファンタスティックに映画化した**『哀れなるものたち』**で、なりふり構わず演じたヒロインはまさに圧巻。「フランケンシュタイン」の機知に富む変奏であると同時に、母の肉体を得た胎児がたどる成長=冒険の旅は、フェミニズムのテーマにも接近する。鍵を握る男で重要な脇役のウィレム・デフォーとマーク・ラファロもいい。

pick up!

『TALK TO ME/トーク・トゥ・ミー』
Blu-ray&DVD 発売中
発売・販売元:ギャガ
©2022 Talk To Me Holdings Pty Ltd, Adelaide Film Festival, Screen Australia

タランティーノが『グラインドハウス』で仕掛けたお遊びの予告編の一つ『**サンクスギビング**』だが、感謝祭発祥《サンクスギビング》の地というマサチューセッツ州の田舎町を舞台にやっと映画化が実現した。監督はフェイクのティーザーを手がけたイーライ・ロスだが、あまりに衝撃的な内容のためお蔵入りし、残された素材は予告編のみという架空のスラッシャー映画をコンセプトにしている。予告編とのシンクロ度の高さには、思わずニヤリとさせられる。

若さのために血を吸う魔女の昔話と、奇病にかかった妹の民間療法のために母方の故郷を訪ね、不気味な祖母との生活を強いられるヒロインの受難体験が呼応しあう『**イビルアイ**』も、今年の収穫の一つだろう。その過去と現在を繋ぐ見えそうで見えない接点をめぐり、思春期特有の多感な主人公の物語は展開する。『パラドクス』や『ダークレイン』など、特集上映の数合わせに甘んじてきたメキシコのアイザック・エスパン監督作品だが、本作でひと皮剝けたのは間違いない。現代の魔女伝説として画竜点睛のラストも天晴れだ。

『**イノセンツ**』では、自然に囲まれた郊外の団地を舞台に、サイキック・ウォーズが繰り広げられるが、その主役はタイトルの通り、無垢なる者、つまり子どもたちだ。四人の偶然の出会いから、不思議な力の目覚め、さらに暴走までを描く物語は、間違いなくスティーヴン・キング以降のモダンホラーの現在進行形だろう。移民という社会問題への目配せもあるが、子役たちの名演とともに、ノルウェーの翳りある灰色の夏の風景がいつまでも心に残る。

pick up!

『スイート・マイホーム』
神津凛子（講談社文庫）

『ヘレディタリー／継承』や『ミッドサマー』の監督という先入観に、鮮やかな背負い投げを決めてみせる『**ボーはおそれている**』は、いうなればアリ・アスター版のダークな「母をたずねて三千里」だろう。マルコならぬボーは、母急死の報を受け自分のアパートを後にするが、なぜか世界は様相を変え、次々と彼に試練を課していく。旧約聖書のヨブ記よろしくユダヤ人の受難をパロディ化したものらしいが、紙一重の笑いと恐怖を同時に味わうには、作品背景の理解が必要かもしれない。

「変な家」以外の不動産ホラーも見逃せない！

現在のホラー・ブームに火を付けた雨穴の「変な家」が、続編、映画化ともに話題だが、不動産ホラーでは、小説現代長編新人賞に輝く神津凛子《かみづりんこ》の同題小説を原作とした『**スイート・マイホーム**』の方が先達にあたる。不動産業者お奨めの物件は、全館暖房や子どもの見守りシステム完備の夢の家だった。窪田正孝《くぼたまさたか》扮する主人公は、妻子とともに念願の一軒家で暮らし始めるが、思わぬ陥穽が一家を待ち受ける。ホラーとミステリとの最恐タッグ、ここに誕生！

押さえておきたい！

必読ホラー20選
［国内編］

「もっとホラー小説を読みたい！　でも、何から読めばいいかわからない！」という読者に向けて、
邦ホラーを語るうえで欠かせない20作品を紹介しよう。

それぞれの恐怖の種類を分類したレーダーチャートも掲載するので、
幽霊ものは読みたくないとき、感動的なストーリーを読みたいときなどにぜひ活用してほしい。

選書・文＝朝宮運河

1. **人間椅子** 江戸川乱歩ベストセレクション1 ―― 江戸川乱歩
2. **青蛙堂《せいあどう》鬼談** 岡本綺堂《きどう》読物集二 ―― 岡本綺堂
3. **蔵の中・鬼火** ―― 横溝正史
4. **蒲団《ふとん》** 橘外男《そとお》日本怪談集 ―― 橘外男
5. **懲戒の部屋** 自選ホラー傑作集1 ―― 筒井康隆
6. **霧が晴れた時** 自選恐怖小説集 ―― 小松左京
7. **怪奇小説という題名の怪奇小説** ―― 都筑道夫
8. **血の季節** ―― 小泉喜美子
9. **墓地を見おろす家** ―― 小池真理子
10. **リング** ―― 鈴木光司

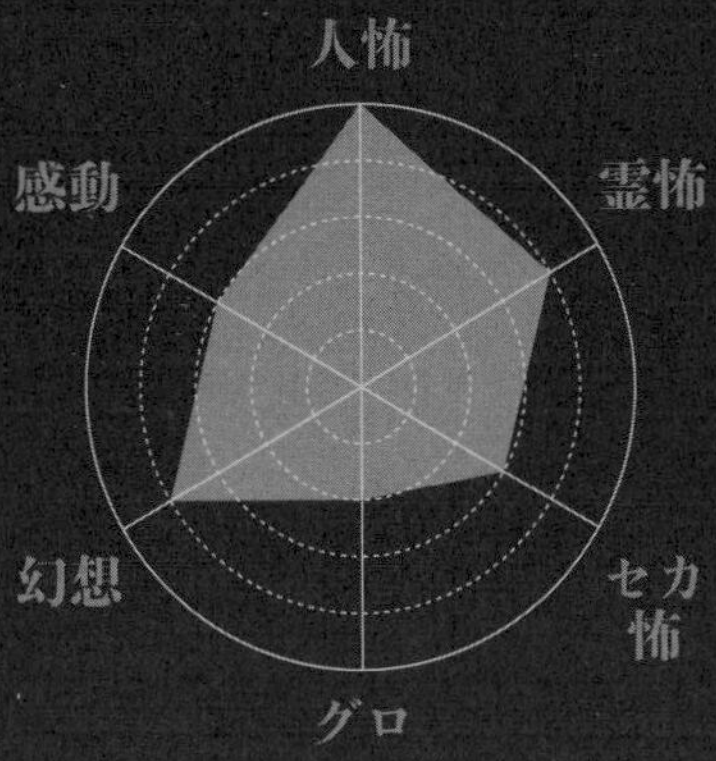

人怖 殺人鬼や人間の感情など、人間由来のものが恐怖の対象となる

霊怖 幽霊・悪魔など、超自然的なものが恐怖の対象となる

セカ怖 世界観や物語の設定自体の狂気が恐怖の対象となる

グロ 残虐描写や生理的嫌悪感を催す描写がある

幻想 幻想文学のような耽美さがある

感動 切なさや爽快感を感じさせる物語性がある

11 死国 坂東眞砂子

12 パラサイト・イヴ 瀬名秀明

13 天使の囀《さえず》り 貴志祐介

14 ぼっけえ、きょうてえ 岩井志麻子

15 夜市 恒川光太郎

16 おそろし 三島屋変調百物語事始 宮部みゆき

17 Another 綾辻行人

18 のぞきめ 三津田信三

19 残《ざん》穢《え》 小野不由美

20 ぼぎわんが、来る 澤村伊智

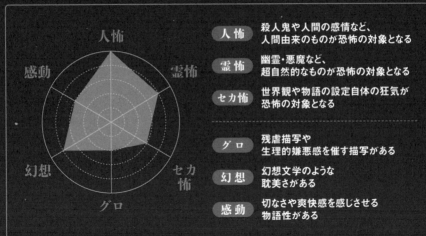

1

人間椅子
江戸川乱歩ベストセレクション1

江戸川乱歩
角川ホラー文庫

発表年1925年
※表題作

日本ミステリーの父・江戸川乱歩のペンネームが、アメリカ作家エドガー・アラン・ポーに由来することはよく知られている。そしてポーがそうであったように、乱歩もまた怪奇と幻想と戦慄に満ちた作品を数多く執筆し、ミステリーのみならずホラーの発展にも大きく貢献した。「人間椅子」は椅子の中に潜み、触覚の快楽に溺れる男の告白を綴ったもので、今日のサイコサスペンスの先駆けともいえる短編。耳元で囁くような熱っぽい文体はまさしく乱歩の独壇場だ。ベストセレクションである本書は他にも、ドイツの怪奇作家エーヴェルスの「蜘蛛」に着想を得た幻想犯罪譚「目羅博士の不思議な犯罪」、鏡の世界の恐怖を扱った「鏡地獄」、汽車の中で出会った男が手にした荷物にまつわる逸話を語る屈指の傑作「押絵と旅する男」など、怪奇幻想系の名作を収める。怪しくも魅惑的な乱歩ワールドは、発表から一世紀経った今でも色あせない。

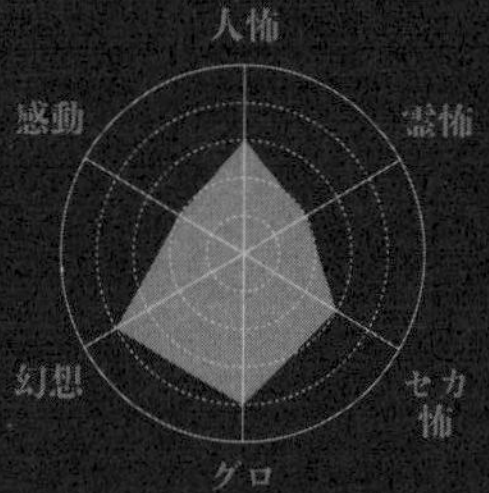

2

青《せい》蛙《あ》堂《どう》鬼談
岡本綺堂読物集二

岡本綺堂《きどう》
中公文庫

発表年1926年

雪の舞う三月三日、青蛙堂主人と号する弁護士の家に集まった男女が、順に怪談を披露する、という百物語形式のオムニバス怪談集。利根川の渡し場で人探しをする目の見えない男にまつわる不気味な因縁譚「利根の渡」をはじめ、夜店で手に入れた猿の面がさまざまな怪異を巻き起こす「猿の眼」、蛇退治の名人として知られた男の謎めいた半生を描く「蛇精」、夫に襲わせた人間の血を妖婦が舐めまわす「一本足の女」など十二編。江戸時代を舞台にしたエピソードも多く、一見古めかしい印象を受けるのだが、いざ読んでみると恐怖のツボを押さえた名人芸の語りに、幾度もぞくっとさせられる。怖さの秘密は、怪異の背景をくだくだしく説明せず、読者の想像に委ねる省略の技巧。「半七捕物帳」の作者は怪談作家としても超一流なのだ。読者を恐怖させるテクニックが詰まった綺堂作品は、宮部みゆきなど現代作家にも絶大な影響を与えている。

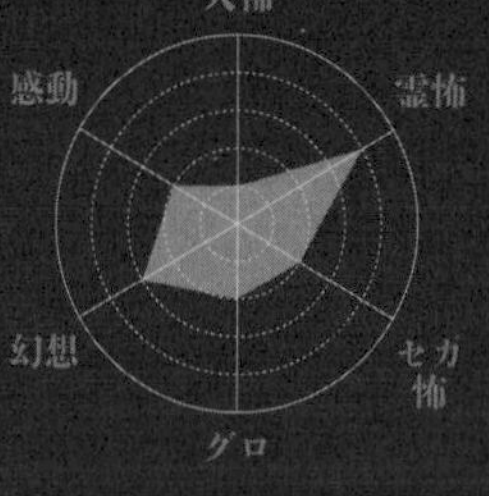

3

蔵の中・鬼火

横溝正史
角川文庫

一般に横溝正史の代表作といえば、戦後に発表された『八つ墓村』『犬神家の一族』などの閉鎖的な集落を舞台にした本格ミステリーだろう。しかしホラーの観点から注目しておきたいのは、戦前に書かれた一連の怪奇幻想短編だ。妖美怪異の世界を描いたそれらの作品には、横溝生来のロマンティックな資質がいっそうダイレクトに表現されている。「蔵の中」は懐かしく美しい品々で満たされた〈王国〉のような土蔵で暮らした姉弟の物語。作中作を用いたメタフィクション風の趣向も面白いが、幕切れの凄絶な美しさは一読忘れがたい。本書には他にも、夜の砂浜で出会った女が異常な恋物語を告白する「かいやぐら物語」、骨格標本が秘められた罪を暴く「面影双紙」など、乱歩の都会的なホラーとはまた違った、情趣に富んだ怪奇探偵小説が収められている。なお横溝にはブラム・ストーカーの『ドラキュラ』を時代小説として翻案した『髑髏検校』という傑作もある。

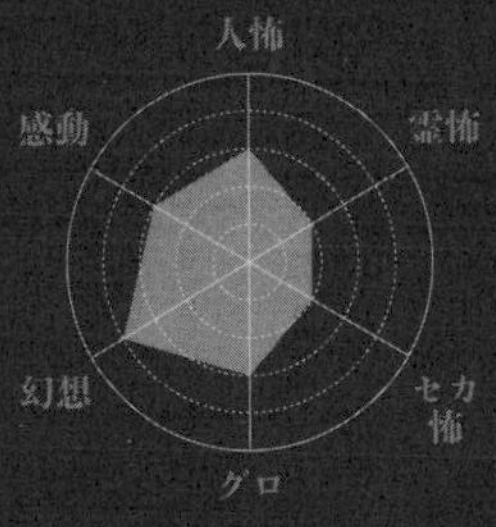

発表年1935年
※表題作それぞれ

4

蒲団《ふとん》 橘外男日本怪談集

橘外男《そとお》
中公文庫

日本でもっとも怖い怪談は何か？というアンケートを実施したら、ほぼ確実に上位に食い込むだろうと予想されるのが橘外男の「蒲団」だ。古着屋が破格の値段で仕入れてきた縮緬《ちりめん》蒲団。その日以来、店はさまざまな不運や怪異に見舞われるようになる。オーソドックスな展開ながら、一種凄みのある怪異描写で読む者を圧倒する、呪物ホラーの古典である。戦前から戦後にかけて活躍した著者は、「陰獣トリステサ」などの海外秘境小説で人気を博す一方、幽霊小説・怪猫小説などのホラーも執筆。虚を実に転じてしまうようなエネルギッシュな語りで、ドロドロした因縁と怪異を描く外男怪談は、粋でスタイリッシュな綺堂怪談とある意味対照的だ。「蒲団」と並ぶ代表作が、少年の霊との交流を描いた「逗子《ずし》物語」。物悲しく切ない物語の中に、背筋が凍るような恐怖演出が光る。外男の怪談はしばらく埋没していたが、本セレクションによってあらためて脚光を浴びた。

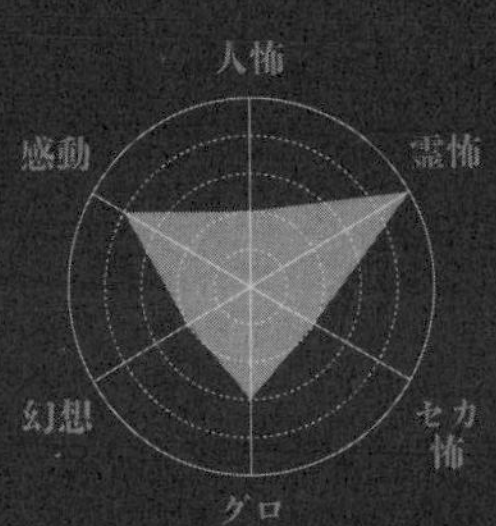

発表年1937年
※表題作

5
懲戒の部屋 自選ホラー傑作集1
筒井康隆
新潮文庫

一九六〇年代から七〇年代にかけて、日本ホラーの発展を担ったのはSFジャンルで活躍する作家たちだった。その筆頭が『時をかける少女』『パプリカ』などの著者・筒井康隆。多くの筒井ホラーでは主人公は悪夢のような事件に巻き込まれ、肉体的・精神的な限界へと追い詰められていく。たとえば「走る取的《とりてき》」は、ひょんなことから力士の怨みを買った主人公が、執拗に追いかけ回されるというトラウマ的に怖い短編。女性保護委員会に監禁され、ひたすら懲罰を受けさせられる本書の表題作、切符を紛失した作家が駅員に延々虐待される「乗越駅の刑罰」などにも、同様の理不尽な状況が描かれている。一方で、皮膚にめり込んだ豆が顔面を醜く変貌させる「顔面崩壊」など、生理的嫌悪感を突きつめたグロテスクホラーもインパクト絶大。なお、さらに怪奇味が強い筒井ホラーは、『鍵 自選恐怖小説集』に数多く収められている。こちらもあわせて読んでみてほしい。

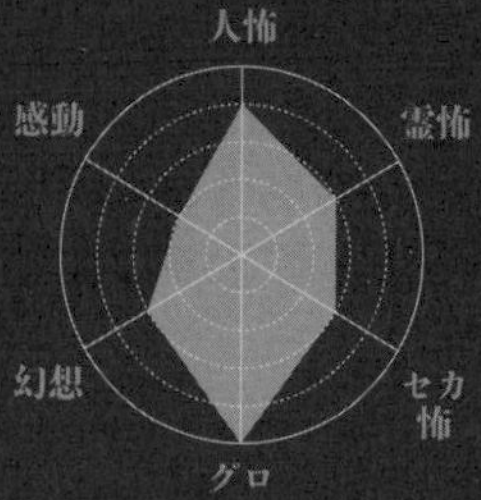

発表年1968年
※表題作

6
霧が晴れた時 自選恐怖小説集
小松左京
角川ホラー文庫

筒井康隆と並んで、ホラージャンルに大きく貢献したSF作家に小松左京がいる。読者が慣れ親しんだ日常の風景から幕を開ける小松ホラーは、物語が進展するにつれて徐々に不穏さを増していき、クライマックスにおいて驚愕・恐怖の真相を露わにする。その巧みなストーリーテリングと、大胆で斬新なアイデアの数々は、日本ホラー史の中でも強い光を放っている。自選集である本書には、主人公一家を除いて街から人が消えてしまう表題作や、日本神話の黄泉《よみ》の国訪問のエピソードを、未確認生物と絡めて描いた「黄色い泉」、井戸から現れる無数の骨が、目眩のするようなビジョンを暗示する「骨」などの代表作を収録している。太平洋戦争末期、空襲で焼け出された少年が、世話になっているお屋敷の座敷で信じがたいものを目にする「くだんのはは」は、ホラーアンソロジーの常連ともいえる名作中の名作。禁忌に触れてしまったような読後感は永遠に消えない。

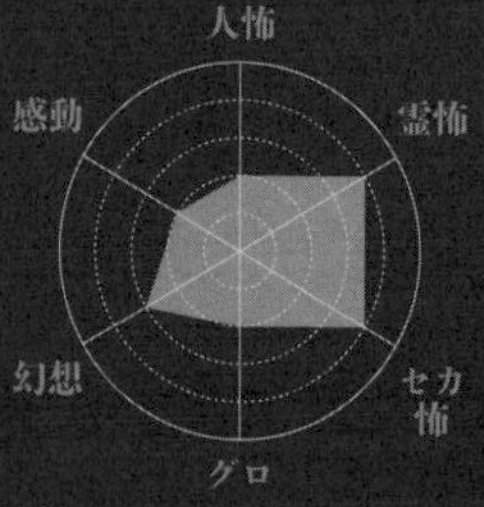

発表年1971年
※表題作

7

怪奇小説という題名の怪奇小説

都筑道夫
集英社文庫

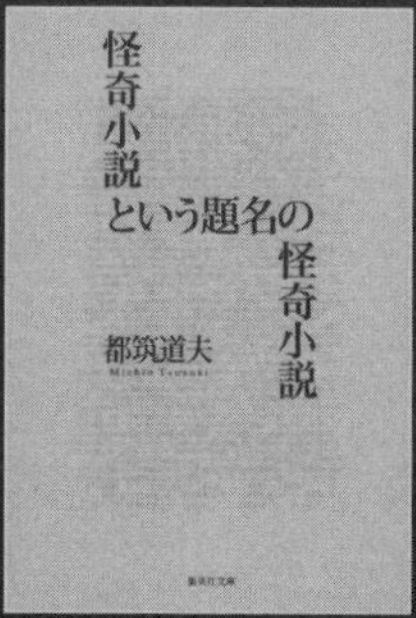

〝日本でいちばん怪談を書いた作家〟の称号をもつ都筑道夫。その技巧的な名品の数々はちくま文庫の「都筑道夫恐怖短篇集成」全三巻などを読んでいただくことにして、ここでは一九七〇年代当時としては珍しかった長編ホラーに挑んだ本書を取り上げたい。〈超自然の恐怖をあつかった長篇小説〉の執筆に苦心する語り手の作家は、マーク・ルーキンズという無名作家の小説を盗用しようと考える。前後して彼はタクシーの窓から、黒いコートを着た女を見かける。それは三十年前に死んだはずの従姉にそっくりだった。長編ホラー執筆の舞台裏がそのまま本編にもなっているという実験的手法の小説だが、クライマックスにはH・P・ラヴクラフトを彷彿とさせるような暗黒世界の饗宴がくり広げられ、期待を裏切らない。名アンソロジー『幻想と怪奇　英米怪談集』の編者でもあったホラー通作家による異色作。道尾秀介が絶賛したことで再注目された。

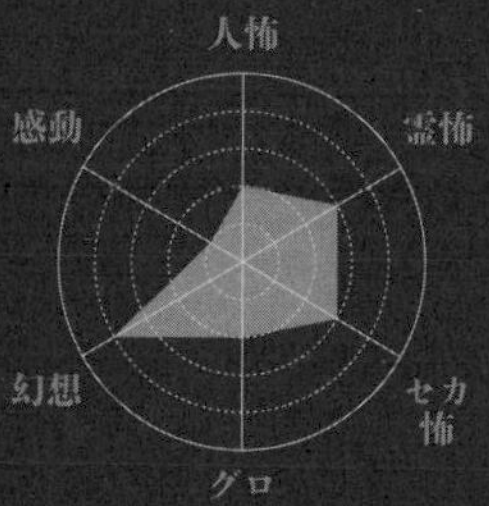

発表年1975年

8

血の季節

小泉喜美子
宝島社文庫

昭和十二年、九歳だったぼくは引っ越してきたばかりの東京の山の手で、孤独な子ども時代を送っていた。そんなある日、コンクリートの塀に囲まれた〈お城〉に住む兄妹、フレデリックとルルベルと知り合う。ヨーロッパ某国公使を父にもつ二人と親しくなったぼくは楽しい日々を送るのだが、ほどなく公使館を相次いで不幸が襲った。それから八年後、あの東京大空襲のさなか、ぼくは再び〈お城〉の住人と関わりを持つことに……。『弁護側の証人』などの創作、P・D・ジェイムズ『女には向かない職業』などの翻訳で、戦後ミステリー史に足跡を残した小泉喜美子が、吸血鬼テーマに挑んだ長編。残酷な幼女殺害事件を捜査する警察官視点のパートと、犯人として逮捕された男が自らの半生を語るパート。テイストが異なるふたつのストーリーが、猟奇事件の真相を浮かび上がらせていく。戦争の記憶を刻んだ、恐ろしくも哀切な国産ゴシックホラー。

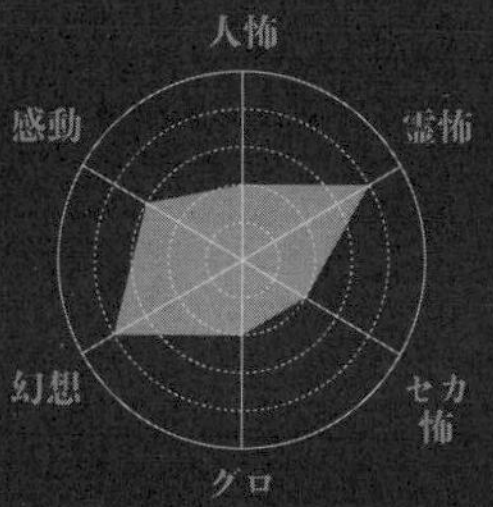

発表年1982年

墓地を見おろす家

小池真理子
角川ホラー文庫

都内に建つ八階建てのマンション。新築・全戸南向き・管理人常駐という好条件の物件が、相場より安いのには理由がある。墓地と火葬場に囲まれているのだ。このマンションに引っ越してきた加納家だったが、転居翌日にペットの小鳥が急死。その後もテレビに黒い影が映り込んだり、地下の物置で妙な物音が聞こえたりと異変が相次ぐ。このマンションは何かがおかしい……。ホラージャンル草創期にあたる一九八〇年代、スティーヴン・キング風のエンターテインメントホラーにいち早く挑み、見事成功を収めた里程標的作品。現代的なマンションが陸の孤島と化してしまうスケールの大きさと、心霊的リアリティの漂う怪異描写、巧みな心理描写が相まって、緊迫感のあるドラマを作り上げている。救いのないラストも素晴らしい。著者はこの後も『水無月の墓』『アナベル・リイ』などの優れた心霊小説を発表、ホラーファンを魅了している。

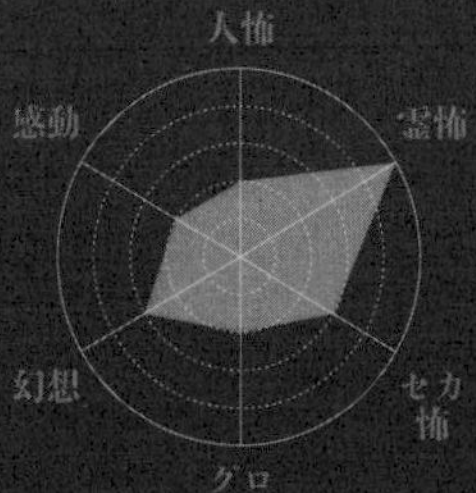

発表年1988年

10 リング

鈴木光司
角川ホラー文庫

週刊誌記者の浅川は、東京近郊で四人の若い男女が同日同時刻に死亡していることを知り、取材を開始した。四人が宿泊していた貸し別荘を訪ねた浅川は、そこで一本のビデオテープを発見。ビデオを再生したことで、彼もまた一週間後に死ぬ呪いにかかってしまう。旧友の大学講師・高山とともに、呪いを解除する方法を探る浅川だったが、なかなか手がかりが摑めない……。鈴木光司の『リング』とその映像化作品が、現代のホラーカルチャーに与えた影響は計り知れない。本書に登場する悲劇の異能者・山村貞子は、一九九八年の映画『リング』によって特徴的なビジュアルが与えられ、Jホラーのアイコンとなった。また本書が確立した〝無差別的に拡散する呪いによるタイムリミットサスペンス〟というパターンは、無数のフォロワーを生み出している。ホラーの歴史を変えた画期的傑作だ。怨念をウイルスに見立てたメインアイデアも素晴らしい。

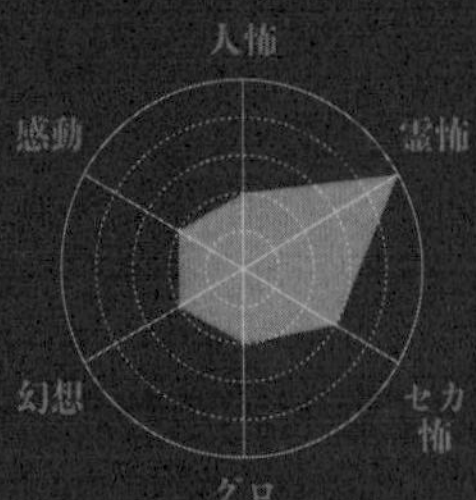

発表年1991年

11

死国

坂東眞砂子
角川文庫

一九九〇年代初頭、海外のモダンホラー作品に比肩するようなエンターテインメントホラーが相次いで刊行され、新時代到来を印象づけた。そうした動きをさらに加速させたのが、九三年から翌年にかけて『死国』、『狗神』、『蛇鏡』、『蟲』、『桃色浄土』と土俗ホラーの力作を矢継ぎ早に刊行した坂東眞砂子である。映画化もされた本書は、東京でイラストレーターとして活躍する主人公・明神比《みょうじんひ》奈子《なこ》が、故郷である四国の矢狗村《やくむら》を二十年ぶりに訪ね、若くして死んだ幼なじみ・日浦沙代里《さより》の影に怯えるという物語。巫女である沙代里の母・照子は、四国八十八ヶ所を左回りに巡る〈逆打ち〉という呪術を行い、娘を死の国から連れ戻したという。その言葉を裏づけるように、比奈子の周囲では怪異が相次ぐ。呪術的価値観が今も息づく山村を舞台に、比奈子を取り巻く日常が異界の色にじわじわと染まっていくさまを、多彩な人間ドラマを交えながら緊迫感たっぷりに描いている。

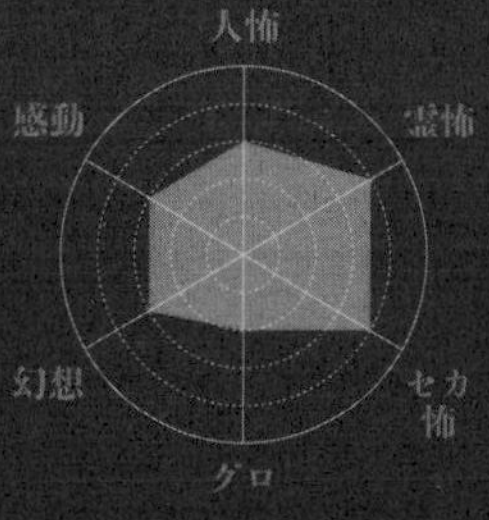

発表年1993年

12

パラサイト・イヴ

瀬名秀明
新潮文庫

ホラー作家の登竜門として知られる新人賞・日本ホラー小説大賞（現・横溝正史ミステリ＆ホラー大賞）。本書は同賞初の大賞受賞作で、著者は応募当時東北大学大学院・薬学研究科に籍を置く研究者だった。交通事故で愛する妻・聖美《きよみ》を失った生化学者の永島利明《としあき》は、聖美の体から回収した肝細胞を培養する。Ｅｖｅ１と名づけられたその細胞は、驚異のスピードで増殖し、暴走していく。進化したミトコンドリアによる人類への攻撃が始まったのだ。著者が愛読する海外のモダンホラー、とりわけディーン・R・クーンツの作品は、面白いものなら何でも取り入れるジャンルミックス性と、ハリウッド映画ばりにテンポのいい物語展開に特徴がある。その流儀を受け継いだ『パラサイト・イヴ』も間口の広いエンターテインメントになっており、普段ホラーを読まない層にも広く受け入れられた。緻密な科学考証が大きな嘘を下支えする、モンスターホラーの快作だ。

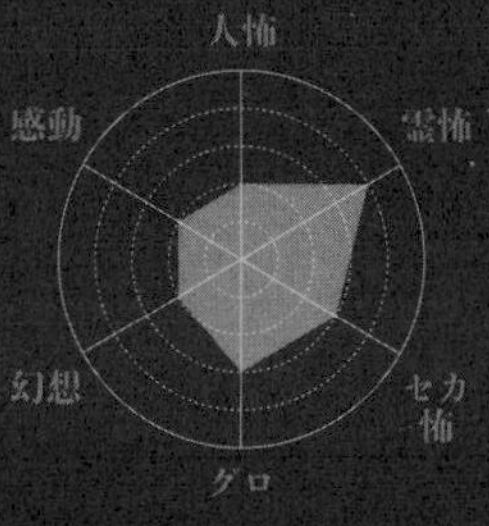

発表年1995年

13 天使の囀《さえず》り

貴志祐介
角川ホラー文庫

瀬名秀明に続いて、史上二人目の日本ホラー小説大賞受賞作家となったのが貴志祐介。保険金詐欺を扱った受賞作『黒い家』は百万部を超えるベストセラーとなった。その翌年に発表された本作は、身近な恐怖を扱った前作から一転、生物学的なアイデアを軸にスケールの大きい物語を展開させた、骨太なモダンホラー長編になっている。新聞社取材のアマゾン調査隊に参加していた作家・高梨が帰国した。恋人の北島早苗は、死を病的に恐れていた高梨の性格がすっかり変わっていることに気づく。死に魅せられるようになった高梨は、睡眠薬を多量摂取して自殺。やがて早苗は調査隊の他のメンバーも、それぞれ異常な方法で死亡していることを知る。アマゾンの奥地で一体何があったのか。死の直前、高梨が耳にしていた〈天使の囀り〉とは？ 未知の存在に操られることの恐怖と恍惚を、目を覆いたくなるような数々の名場面とともに描ききっている。

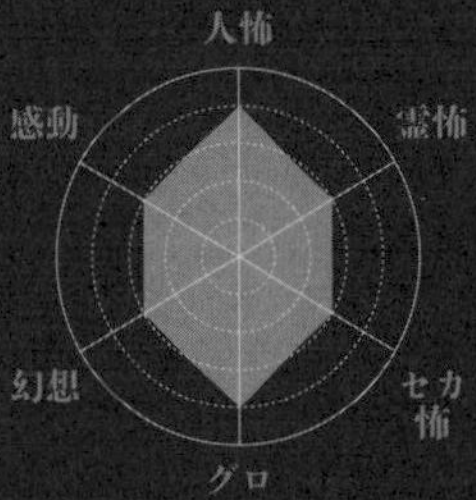

発表年1998年

14 ぼっけえ、きょうてえ

岩井志麻子
角川ホラー文庫

明治時代、岡山の遊郭に泊まった客は、遊女から「きょうてえ」（岡山地方の方言で「怖い」の意）身の上話を聞かされる。彼女が生まれた県北部の貧しい村では、飢饉のたびに多くの赤ん坊が間引かれるという。幼い頃から産婆《さんば》だった母の手伝いをしていた彼女の遊び友達は、家の前の川で腐っていく水子だけ。文明開化の時代から取り残された村の凄絶な日常が、遊女の口からぽつりぽつりと語られていく。岡山弁の一人称語りで、土俗の闇と怪異をあますところなく描いた岩井志麻子のデビュー作「ぼっけえ、きょうてえ」は、二〇世紀末ホラー・シーンに衝撃を与えた。本書は日本ホラー小説大賞を受賞した表題作に、コレラの大流行を扱った「密告函」、漁村を舞台に夫婦の愛憎が描かれる「あまぞわい」、牛の化け物・くだんの伝承を取り入れた「依って件《くだん》の如し」の三編を加えた短編集。地獄図を思わせる怪異描写と透徹した人間観が織りなす、究極の田舎ホラー。

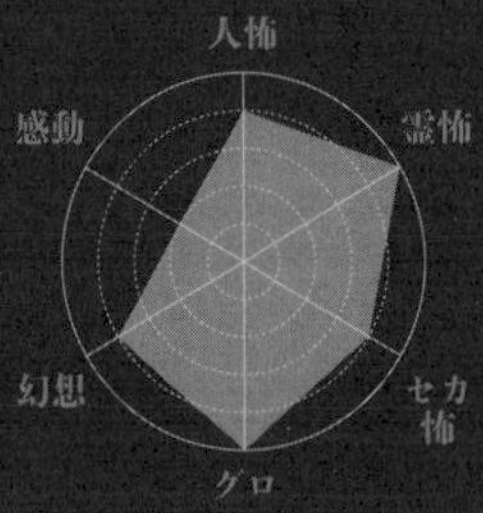

発表年1999年

15 夜市

恒川光太郎
角川ホラー文庫

今夜、岬で夜市が開かれることを知った裕司は、友人のいずみをともなって外出する。森の中には出店が並び、妖怪たちがあらゆるものを売り買いしていた。なんでも斬れる刀、老化が早く進む薬、人間や動物の首。小学生の頃、偶然この市場に迷い込んだ裕司は、野球の才能と弟とを交換してしまった。そのことを悔やんでいる彼は、人攫いから弟を買い戻そうとしているのだ。「夜市」は異界への畏れと憧れを、さまざまな形で表現し続けている恒川光太郎のデビュー作。端正な文章、恐ろしくもどこか懐かしさを感じさせる異世界描写、そして運命に翻弄された者たちの決意を描く切ないストーリーが、読者の胸を揺さぶらずにはおかない。現実世界と重なり合って存在する街道に迷い込んだ少年の旅路を描く、同時収録の書き下ろし「風の古道」も神隠しテーマの傑作だ。遠い世界に誘われているような胸の高鳴りを覚える、幻想的なホラー作品集。

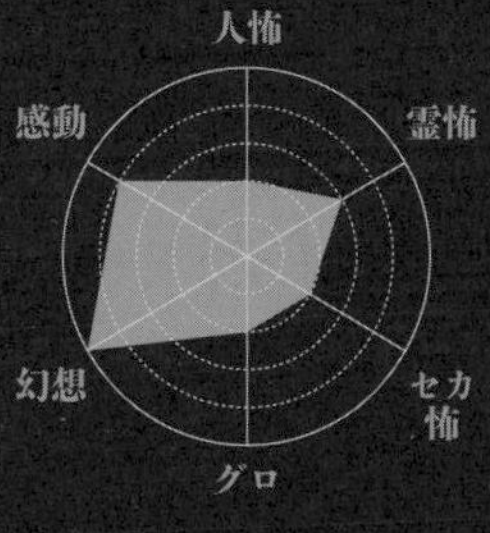

発表年2005年

16 おそろし 三島屋変調百物語事始

宮部みゆき
角川文庫

江戸は神田の袋物屋・三島屋の名物といえば、黒白《こくびゃく》の間で催される〈変わり百物語〉だ。三島屋の座敷を訪れた客が、聞き手と差し向かいになり、長年胸に秘めてきた不思議な話を語る。聞き手を務める十七歳のおちかは三島屋主人・伊兵衛の姪で、ある悲惨な事件がもとで心に深い傷を負っていた。しかし数々の怪談奇談に耳を傾けるうち、おちかの心は少しずつ癒えていく。全九十九話を予定している宮部みゆきのライフワーク「三島屋変調百物語」シリーズの第一巻で、錠前のかかった化け物屋敷の話「凶宅」や、死んだ女の魂がこもった手鏡の話「魔鏡」など、心の闇と人外のものにまつわる五話を収録する。怪談と時代小説は著者の得意とするジャンルだが、このシリーズではなぜ私たちは怪談を求めるのか、怪談を語り聞くことにはどんな意味があるのか、という問題にまで踏み込み、おちかの成長を描いているのが特色。怪談文芸の可能性を拡げた名作である。

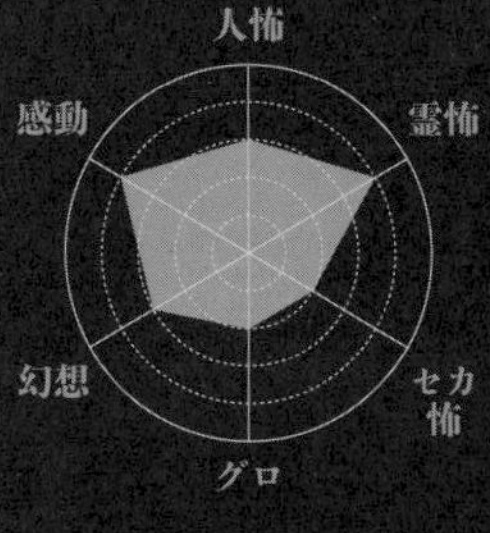

発表年2008年

17 Another

綾辻行人
角川文庫

本格ミステリーとホラーという綾辻ワールドの二大要素が、見事に融合した学園ホラー。東京から夜見山《よみやま》北中学三年三組に転入した榊原恒一は、クラス内に妙な緊張感が漂っていることに気がついた。左目を眼帯で覆う謎めいた雰囲気の同級生・見《み》崎鳴《さきめい》が発した「気をつけたほうがいい」という警告。そして、まるで鳴が見えていないかのように振る舞うクラスメイトたち。このクラスでは何が起こっているのか。詳しくあらすじを紹介するのがはばかられるタイプの作品なので、ここから先は本文にあたってほしいが、隅々まで考え抜かれた〈災厄〉の設定と、それがもたらす無慈悲な惨劇の連鎖には、大のホラーファンを公言する著者の美学とこだわりが詰まっており、超自然的恐怖を求める読者なら感涙ものの。霊的気配に満ちたプロローグから胸をえぐる幕切れまで、まさに一気読み必至の大作である。恐怖と絶望に彩られた青春小説としても魅力的。

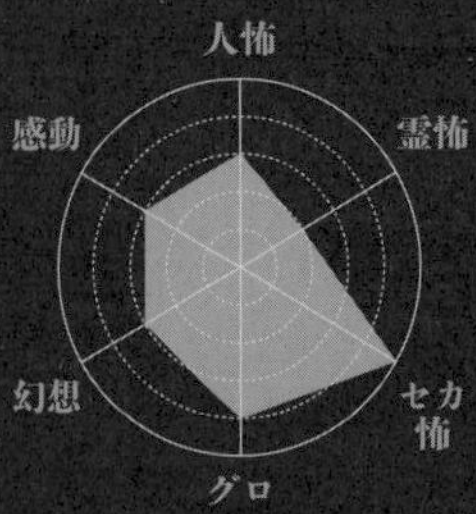

発表年2009年

18 のぞきめ

三津田信三
角川ホラー文庫

作家である僕＝三津田信三は、怪談好きの小学校教師・利倉《とくら》から、彼が学生時代に貸別荘地でアルバイトをした際に体験した、恐ろしい話を聞く。一方、妙な縁から在野の民俗研究者・四十澤《あいざわ》想一のノートを手に入れることになった僕は、あることに気がついた。若き日の四十澤が〈弔い村〉の異名をもつ山村を訪れ、のぞきめという怪異に遭遇したというその記録は、どうやら利倉の怪談と同じ場所で起こっているようなのだ。それぞれ「覗《のぞ》き屋敷の怪」「終《しま》い屋敷の凶」と題された二つの怪談は、約五十年の時を超えて響き合い、現実にも影響を及ぼしてくる。山中の忌まれた集落、六部殺し、憑き物信仰、複数の怪談のリンクという三津田ホラーの特色が詰まった代表作。じっと覗かれているような感覚に、思わず背後をふり返りたくなる。「刀城言耶」シリーズで人気を誇る著者は、現代のホラーミステリー、実話系ホラーの潮流を語るうえで欠かせない存在だ。

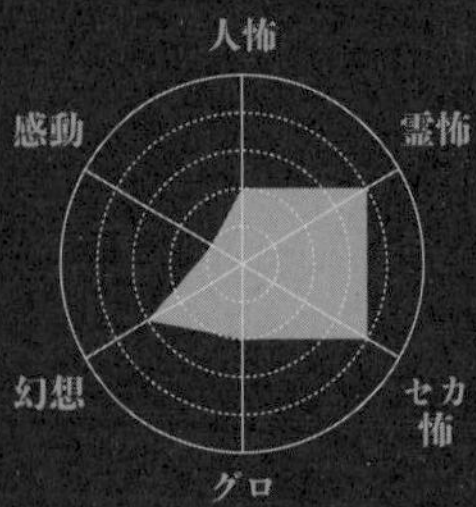

発表年2012年

19

残穢《ざんえ》

小野不由美
新潮文庫

作家である語り手のもとに届いた愛読者からの手紙。差出人・久保さんが暮らす東京近郊のマンションでは、和室から時おり畳の表面を掃くような音が聞こえるという。これと共通点のある怪談を、以前別の読者から送られたことがある語り手は、同じマンションの出来事ではないかと疑い、久保さんとともに調べ始める。このマンションで過去に自殺や事件、死亡事故は起きていないというが、そのくせ妙に住人が居つかない。さらに調査の網を拡げると、当初は分からなかった因縁が浮かび上がる。やはり怪異は伝染し、拡散していたのだ。ではその源泉はどこにあるのか。平成後期に盛り上がった怪談文芸ブームの大いなる遺産にして、現代ホラーのひとつの頂点に位置する一冊。ドキュメンタリータッチで綴られていく怪異調査の記録は、やがて呪いや祟りとは異なる、「無意図的な災厄」の存在を明らかにする。思わず自分の足下を覗き込みたくなる、とにかく怖い小説。

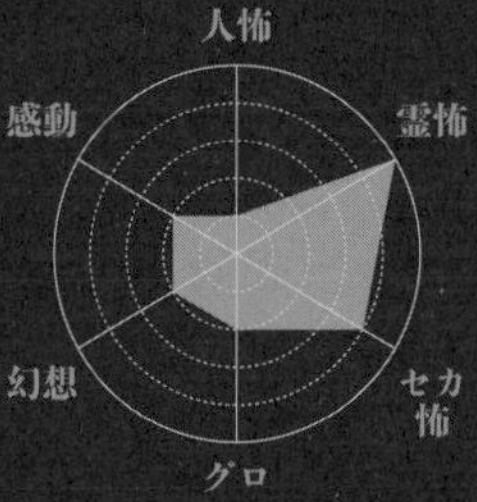

発表年2012年

20

ぼぎわんが、来る

澤村伊智
角川ホラー文庫

田原秀樹の勤める会社に、「チサさんのことで」用があるという妙な来客があった。チサとはこれから生まれてくる娘に秀樹がつけた名で、妻以外の誰も知らないはずだった。対応した部下の高梨は噛まれたような傷を負い、血を流して搬送される。その日を境に、田原家では異変が相次ぐ。薄気味の悪い電話、ずたずたに裂かれていたお守り。秀樹の亡き祖父が恐れていた正体不明の化け物〈ぼぎわん〉が近づいているのだろうか。秀樹は伝手を頼り、オカルトライターの野崎と霊能者の比嘉真琴に救いを求めるが……。日本ホラー小説大賞の全選考委員に絶賛された澤村伊智のデビュー作にして、現代ホラーシーンを牽引する「比嘉姉妹」シリーズの第一作。得体の知れない化け物がやってくる、というシンプル極まるアイデアで勝負したストロングスタイルの超自然ホラーだ。それまで見えていた風景が反転するトリッキーな構成に、著者のミステリーセンスが光る。

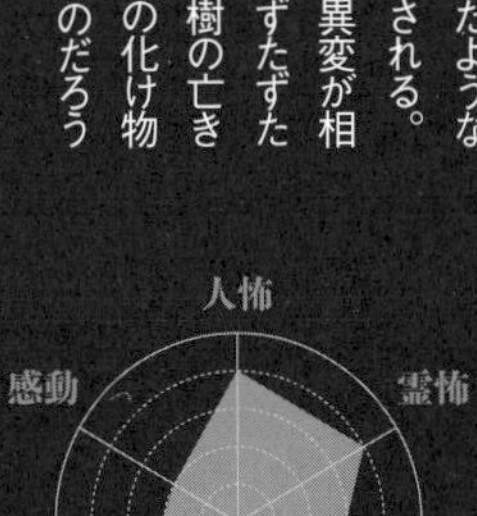

発表年2015年

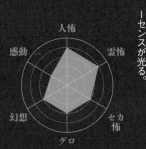

押さえておきたい!

必読ホラー20選

[海外編]

「海外のホラー小説も読んでみたい!」という読者に向けて、厳選した20作品を紹介しよう。
意外な作品の元ネタ、原点がわかるかも?

それぞれの恐怖の種類を分類したレーダーチャートも掲載するので、
幽霊ものは読みたくないとき、感動的なストーリーを読みたいときなどにぜひ活用してほしい。

選書・文=朝宮運河

1 フランケンシュタイン ―― メアリー・シェリー
2 ドラキュラ ―― ブラム・ストーカー
3 消えた心臓/マグヌス伯爵 ―― M・R・ジェイムズ
4 夜の声 ―― ウィリアム・ホープ・ホジスン
5 いにしえの魔術 ―― アルジャーノン・ブラックウッド
6 恐怖 ―― アーサー・マッケン
7 インスマスの影 ―― H・P・ラヴクラフト
8 アイ・アム・レジェンド ―― リチャード・マシスン
9 サイコ ―― ロバート・ブロック
10 丘の屋敷 ―― シャーリイ・ジャクスン

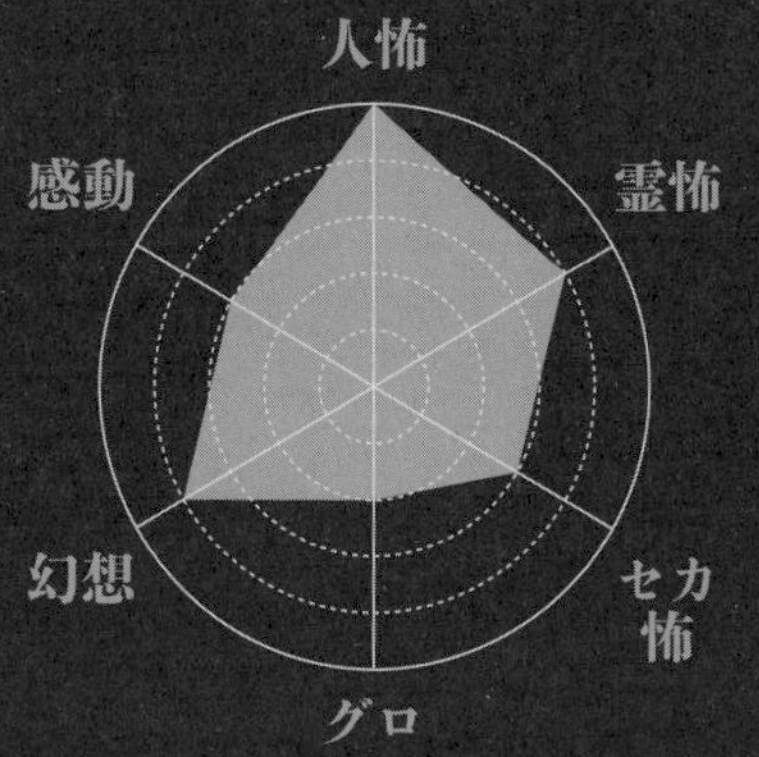

人怖　殺人鬼や人間の感情など、人間由来のものが恐怖の対象となる

霊怖　幽霊・悪魔など、超自然的なものが恐怖の対象となる

セカ怖　世界観や物語の設定自体の狂気が恐怖の対象となる

グロ　残虐描写や生理的嫌悪感を催す描写がある

幻想　幻想文学のような耽美さがある

感動　切なさや爽快感を感じさせる物語性がある

11 エクソシスト――ウィリアム・ピーター・ブラッティ

12 夜明けのヴァンパイア――アン・ライス

13 シャイニング――スティーヴン・キング

14 オフシーズン――ジャック・ケッチャム

15 ファントム――ディーン・R・クーンツ

16 ミッドナイト・ミートトレイン――クライヴ・バーカー

17 ブラック・フォン――ジョー・ヒル

18 ボーダー　二つの世界――ヨン・アイヴィデ・リンドクヴィスト

19 わたしたちが火の中で失くしたもの――マリアーナ・エンリケス

20 メキシカン・ゴシック――シルヴィア・モレノ＝ガルシア

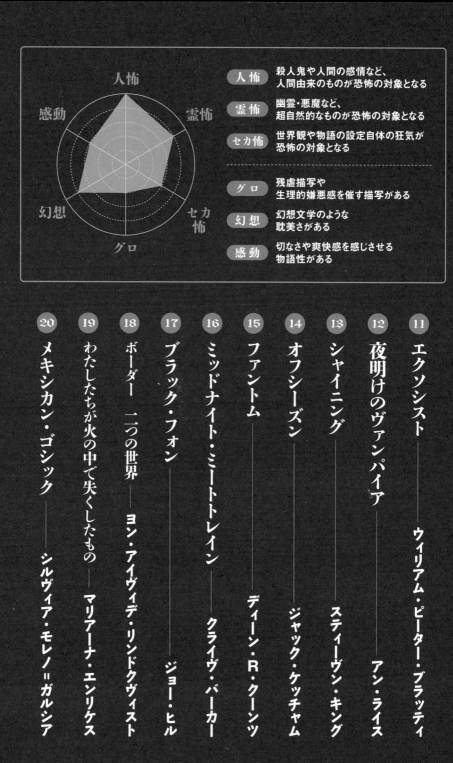

1 フランケンシュタイン

メアリー・シェリー
訳／芹澤恵　新潮文庫

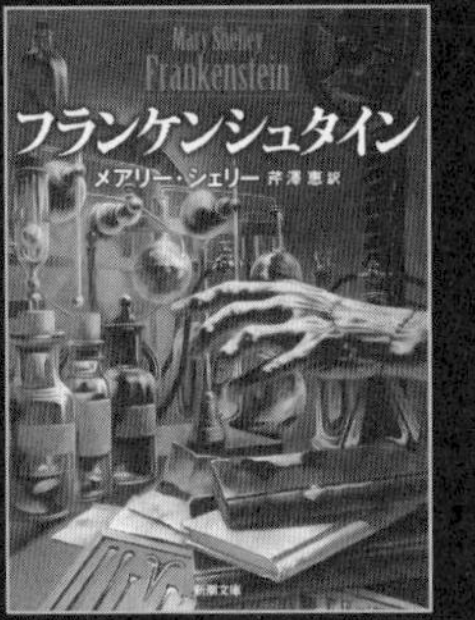

生命の神秘に取り憑かれ、日々研究に打ち込んできた科学者ヴィクター・フランケンシュタインは、ついに無生物に命を吹き込むことに成功する。解剖室などから集めた材料をつぎはぎして作った生き物が手足を痙攣させて動き出すが、そのあまりの醜さにヴィクターは逃げ出した。捨てられた怪物は野山をさまよい、言葉を習得するが、自らの運命を呪い、ヴィクターの弟ウィリアムを殺害。ヴィクターの前に現れ、自分の伴侶となるものを作るように要求する。一度は望みを聞き入れたヴィクターだったが、恐れをなして実験を放棄。絶望した怪物は、ヴィクターの最愛の人の命を奪いにやってくる。生命の創造を扱った〝フランケンシュタイン・テーマ〟の原点として、ホラーにもSFにも絶大な影響を及ぼした古典。映画でおなじみのモンスターの印象とは異なり、原作に登場する怪物は与えられた運命に悩み、孤独に苦しむ極めて〝人間的〟なキャラクターである。

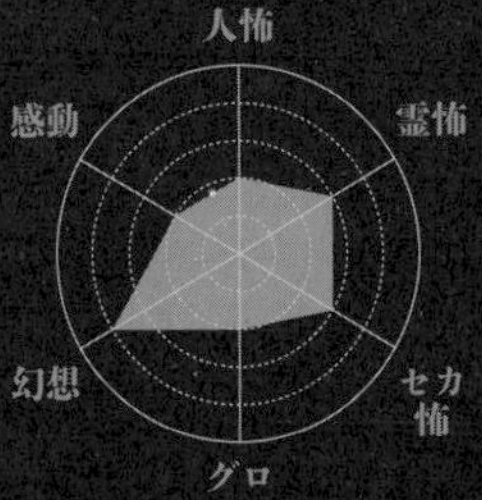

発表年1818年

2 ドラキュラ

ブラム・ストーカー
訳／唐戸信嘉　光文社古典新訳文庫

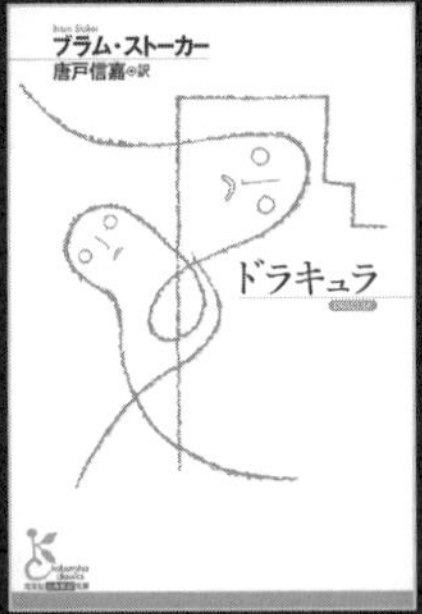

仕事でトランシルヴァニアのドラキュラ伯爵の城を訪ねた、イギリス人弁護士ジョナサン・ハーカー。ワシを思わせる特徴的な顔つきの老貴族は、生き血を啜ることで若返る不死の怪物だった。土の詰まった木箱に潜むドラキュラは、海路を利用してイギリスへ上陸。ロンドンの名家の娘で、ジョナサンの恋人ミーナの親友であるルーシーに目をつけ、夜な夜な彼女の寝室に現れる。奇妙な病に詳しいオランダの老学者ヴァン・ヘルシングはルーシーを吸血鬼の魔手から救おうと奮闘するが、ついにルーシーは死亡。狡猾なドラキュラはさらにミーナまで我が物にしようとしていた。ヘルシングやジョナサンはこの恐ろしい敵を打ち倒すことができるのか。これも古典中の古典だが、いかにもスクリーン映えしそうな見せ場の数々にメロドラマの要素が絡み、百二十年以上前に書かれたことを忘れるほど面白い。一度は読んでおきたいエンタメホラーの里程標だ。

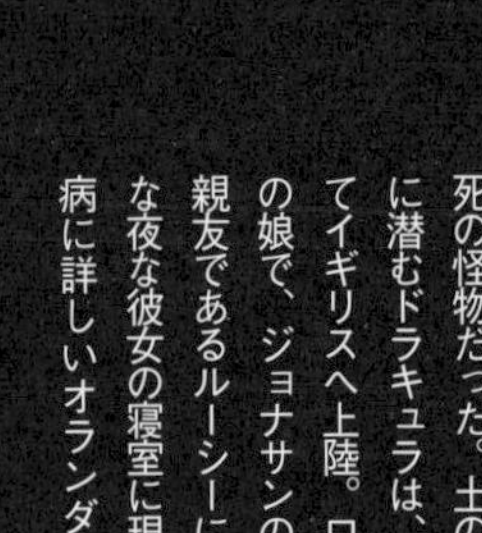

発表年1897年

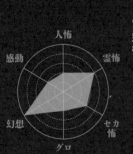

3

消えた心臓／マグヌス伯爵

M・R・ジェイムズ

訳／南條竹則　光文社古典新訳文庫

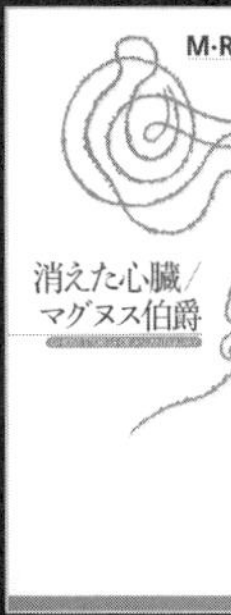

発表年1904年

「英国が生んだ最高の怪談作家」M・R・ジェイムズの第一短編集『好古家の怪談集』の全訳。古代の密儀宗教に詳しい隠遁者アブニー氏が、孤児となった若い従弟スティーヴンを引き取った。アブニー氏の屋敷には七年前にも男の子が、二年前にも女の子が引き取られているが、二人とも突然姿を消したという。アブニー氏の書斎に招かれた夜、スティーヴンは窓からおぞましい姿の人影を目にする……（「消えた心臓」）。読者を怖がらせる手法を熟知したジェイムズの怪談には、必ず〝ここぞ〟という恐怖のポイントが用意されている。「秦皮《とねりこ》の木」のショッキングな幕切れ、「マグヌス伯爵」の南京錠が音を立てて次々に外れるシーン、「若者よ、口笛吹かばわれ行かん」のおぞましい怪物描写。静かにさりげなく幕を開け、じわじわと不安を掻き立てて、クライマックスを迎えたらさっと物語を閉じる。短編ホラーの教科書のような九編。

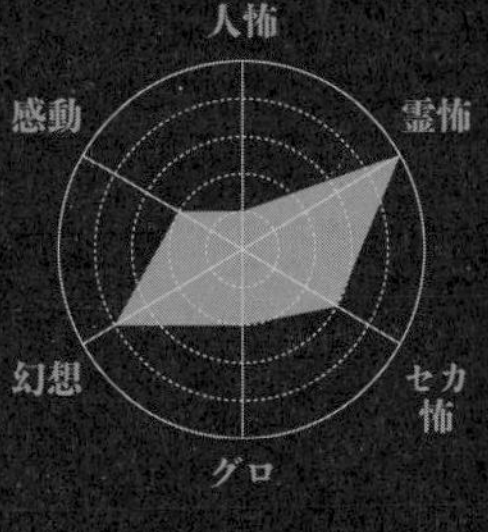

4

夜の声

ウィリアム・ホープ・ホジスン

訳／井辻朱美　創元推理文庫

発表年1907年
※表題作

星のない夜、太平洋を航海するスクーナー船に「おおい！」と呼びかける一艘のボートがあった。乗っていた男は食料を受け取ると、世にも恐ろしい身の上話を語り出す。六か月前、沈没船から恋人といかだで脱出した男は、一面キノコに覆われた島にたどり着く。忌まわしいキノコは二人の体を覆い、その姿を変えてしまった。特撮ホラー映画『マタンゴ』の原作としても有名な「夜の声」をはじめ、船の墓場サルガッソー海の怪異を描いた「廃船の謎」、霧の中から石でできた船が現れる「石の船」、カビだらけの船に乗りこんだ船員たちが恐怖に見舞われる「カビの船」など、力強く異様なイメージが炸裂する海洋ホラー集。第一次大戦で命を落としたホジスンだが、海洋冒険怪奇小説の『〈グレン・キャリグ号〉のボート』、サイケデリックな幽霊屋敷譚『異次元を覗く家』、心霊探偵ものの『幽霊狩人カーナッキ』などでホラー史に名を刻んでいる。

5 いにしえの魔術

アルジャーノン・ブラックウッド
訳／夏来健次　書苑新社

発表年1908年
※表題作

北フランスの小さな駅で列車を降りたイギリス人旅行者のヴェジン。そこには観光客や自動車の喧噪とは無縁な、中世風の古い町並みが広がっていた。町は眠ったように静かで、その静寂を破るのは猫の声のみ。やがて宿屋の娘イルゼと惹かれ合うようになったヴェジンは、はるか昔に営まれていた〈本当の生活〉に加わるよう求められる。そして訪れたサバトの夜、町の住人たちは次々と猫に変わっていき……。江戸川乱歩が萩原朔太郎の「猫町」と並べて紹介したことでも知られる「いにしえの魔術」は、クライマックスの魔宴シーンが圧巻の魔術小説（猫好きの人にはむしろ嬉しい展開かも）。大自然への畏怖と、現実の向こうにある世界への真摯なまなざしは、ブラックウッドの怪奇小説に通底するテーマで、代表作の「柳」や「幽霊島」、本書所収の「神の狼」「獣の谷」などでも、文明社会が忘れ去った超自然的存在との交流が、迫力ある筆致で描かれている。

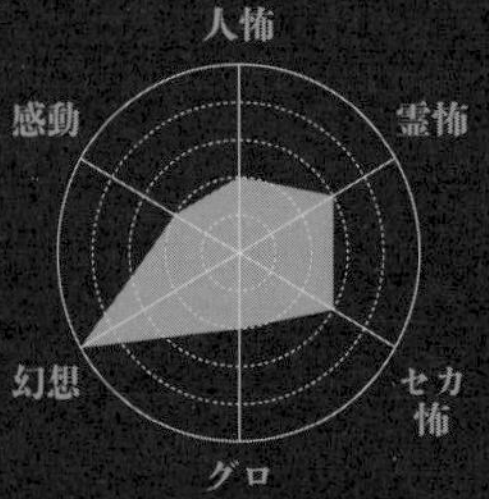

6 恐怖

アーサー・マッケン
訳／平井呈一　創元推理文庫

発表年1917年
※表題作

人間は真実の世界とヴェールで隔てられていると主張する医師レイモンドによって、脳手術を受けさせられ、〈パンの大神〉を見てしまった少女メリー。それからしばらく後、ロンドンの社交界に現れたボーモント夫人という美女が、関わった男たちを次々と自殺に追いやっていく。事件の背後を探る男たちは、ボーモント夫人の意外な正体を知り、驚愕するのだった。あまりにも汚らわしいと発表当時物議をかもした「パンの大神」も、今日ではマッケンの代表作として多くのアンソロジーに収録されている。本書には他にも、地面に並べられた石が〈矮人〉の存在を暗示する「輝く金字塔」、魔女崇拝を熱狂的な一人称で描いた「白魔」など、恐怖と法悦に満ちたマッケン世界の神髄を伝える七編を、怪奇小説翻訳の名匠・平井呈一が訳した贅沢な一冊。太古の邪悪なるものが現代社会に出現するマッケンのホラーは、H・P・ラヴクラフトにも多大な霊感を与えた。

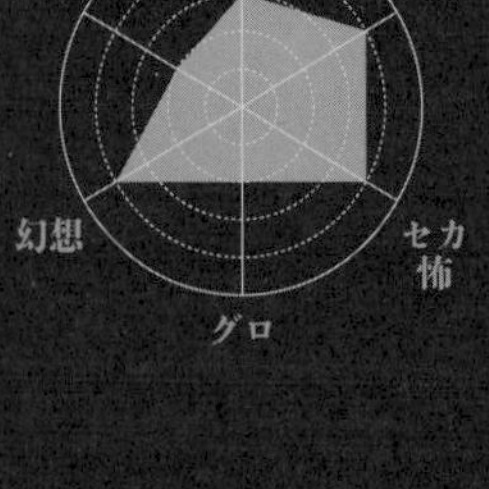

7 インスマスの影

H・P・ラヴクラフト

訳／南條竹則　新潮文庫

TRPGなどを通して、日本でも広く知られるようになったクトゥルー（クトゥルフ）神話。はるか昔、地球の支配者であった異形の神々は現代も秘かに生き続けており、復活の時を待っている、という基本設定をもつこの架空神話の中核にあるのは、H・P・ラヴクラフトが一九二〇年代から三〇年代にかけて執筆した作品群だ。本書は、宇宙的恐怖を迫真の筆致で描く「異次元の色彩」や、巨大モンスター小説の側面もある「ダンウィッチの怪」、海底に潜む邪神クトゥルーが姿を現す「クトゥルーの呼び声」などの有名作を収める、クトゥルー神話入門に最適のベストセレクション。表題作の「インスマスの影」は、ニューイングランド周遊旅行の途中、荒れ果てた港町インスマスに立ち寄った主人公が、海に潜むものと邪悪な契約を続けてきた町の秘密に触れるという短編。名状しがたい（ラヴクラフトが好む形容）恐怖に魂を絡め取られるような読書体験を味わえる。

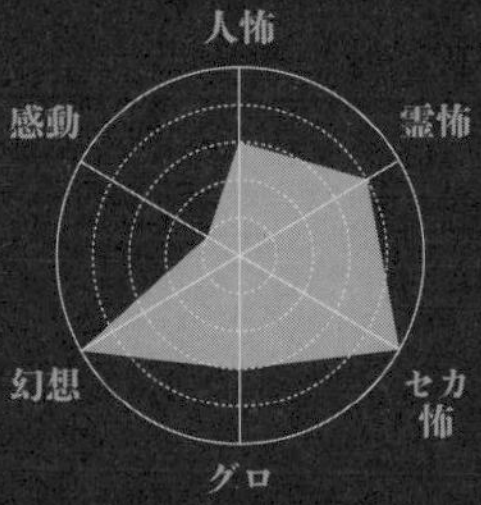

発表年1936年
※表題作

8 アイ・アム・レジェンド

リチャード・マシスン

訳／尾之上浩司　ハヤカワ文庫NV

突如世界を覆った謎の伝染病によって、人々は吸血鬼と化した。生存者であるロバート・ネヴィルの隠れ家には、日が暮れると吸血鬼どもが集まってきて彼の名を呼び続ける。昼の間にはネヴィルは無人の町をさまよい、水や食料を補給して、眠っている吸血鬼を見つけては始末する。一体こんな生活がいつまで続くのか。地球上に彼以外の生存者はいるのだろうか。ブラム・ストーカーの『ドラキュラ』において吸血鬼は孤高の存在だったが、本書に登場する吸血鬼はありふれた人々からなる群衆だ。となるとここからゾンビまではあと半歩。皮肉で恐ろしい結末をもつ本書は、従来の吸血鬼ものと今日のゾンビサバイバルものを橋渡しする重要な作品なのだ。わが国では『吸血鬼』『地球最後の男』のタイトルで親しまれてきたが、二〇〇七年のウィル・スミス主演版の映画公開にあわせて、原題に沿った邦題にあらためられた。

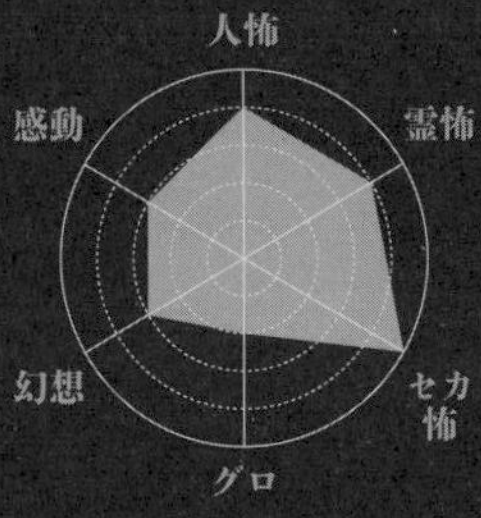

発表年1954年

9 サイコ

ロバート・ブロック
訳／夏来健次　創元推理文庫

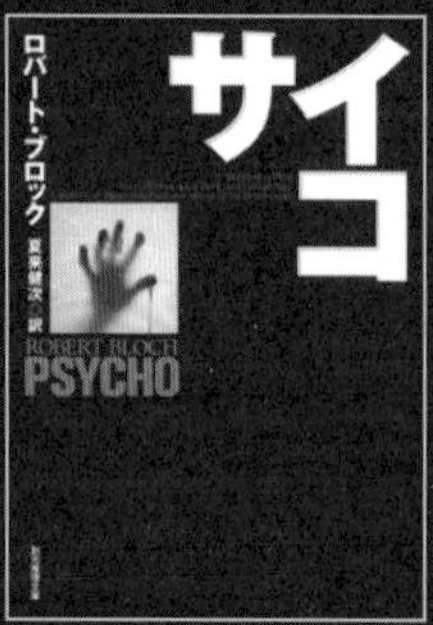

敬愛するラヴクラフトとの文通を経て、十七歳でデビューした才人ロバート・ブロック。初期のおどろおどろしいクトゥルー神話作品にも捨てがたい味があるが、彼の代表作といえば何といっても一九六〇年にアルフレッド・ヒッチコックが映画化した本書だろう。不動産屋に勤めるメアリは、客が払った四万ドルを持ち逃げし、恋人サムが住む町を目指す。ところが旅の途中で立ち寄ったモーテルで、恐るべき殺人者に襲われてしまう。消えたメアリの行方を追う妹ライラとサムは、ついにモーテルを探し当て、宿の経営者ノーマン・ベイツと対峙するが……。ノーマンの生きる異常な世界が、白日のもとに晒されるラストはやはり衝撃的。切れ味鋭いオチを得意とするブロックの資質が、最良の形で生かされている不朽のサイコスリラーだ。映画を観ていない人はもちろん、何度も観ているという人も、活字表現ならではの不気味さが漂う最終章に戦慄してほしい。

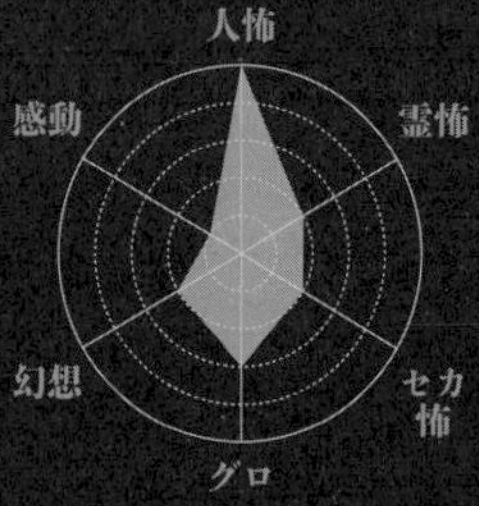

発表年1959年

10 丘の屋敷

シャーリイ・ジャクスン
訳／渡辺庸子　創元推理文庫

八十年にわたり芳しくない噂が囁かれ続けている〈丘の屋敷〉。哲学者モンタギュー博士は、その屋敷の心霊現象を調査するため三人の男女を呼び集めた。子どもの頃、石がシャワーのように降りそそぐという奇現象に遭遇したエレーナ・ヴァンス。透視能力の持ち主であるセオドラ、〈丘の屋敷〉所有者の甥であるルーク。屋敷に泊まりこんでの調査が始まったが、そんな一行をあざ笑うかのように、気味の悪い現象が立て続けに起きる。幽霊屋敷ものは舞台となる家をどれだけ不気味に、いわくありげに描けるかが成否の鍵となるが、その点本書は申し分ない。昼間でもまがまがしい気配の漂う〈丘の屋敷〉は、本書の真の主役といっていいだろう。その暗く歪んだ屋敷に、孤独と劣等感を抱えたエレーナは引き込まれていく。想像力に働きかけるような怪異描写と、人間心理のダークサイドが響き合い、静かな恐怖を作り上げる傑作ゴーストストーリー。

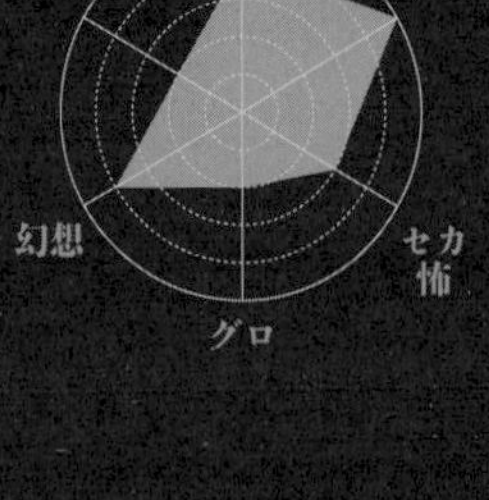

発表年1959年

11 エクソシスト

ウィリアム・ピーター・ブラッティ
訳／宇野利泰　創元推理文庫

発表年1971年

女優クリス・マックニールの十二歳になる娘リーガンの周囲でおかしなことが続いている。夜中に部屋から聞こえる物音、いつの間にか動いている戸棚、ひとりでに激しく揺れるベッド。心配したクリスは医師に相談するが原因は分からない。ほどなくリーガンの様子が悪化、浮き上がった体がベッドの上に落下する。駆けつけた医師にリーガンは男の声で「この牝豚《めすぶた》はおれのものだ」と語り、ナイトガウンの前をはだけて性器をさらすのだった。思いあまったクリスは、イエズス会の神父で精神科医のデイミアン・カラスに救いを求めるが……。一九七三年にウィリアム・フリードキン監督によって映画化され、空前のオカルトブームを巻き起こした作品。読みどころは、凄まじい悪魔憑きの描写と、信仰の危機に直面したカラス神父をめぐるドラマ。特に後者は映画以上に丹念に描かれており、聖邪の対決を描いたクライマックスをさらに盛り上げる。

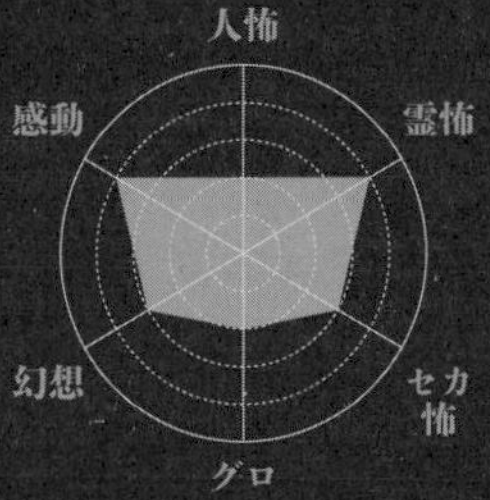

12 夜明けのヴァンパイア

アン・ライス
訳／田村隆一　ハヤカワ文庫NV

発表年1976年

「私がヴァンパイアになったのは二十五歳の時、一七九一年のことだ」。記者を前に、ルイという吸血鬼が二百年にわたる人生を語り始めた。十八世紀末、ルイジアナ州の農場主だったルイは、レスタトという吸血鬼に血を吸われ、自らも不死の存在となる。アメリカからヨーロッパへ、そしてまたアメリカへ。舞台を移しながら〝主人〟レスタトへの反発や、幼くして吸血鬼となった聖少女クロウディアとの暮らし、パリに潜むヴァンパイアグループとの出会いなどが描かれていく。そこに漂うのは恐怖より、永遠に生きながらえることの悲哀。萩尾望都《はぎおもと》のマンガ『ポーの一族』を彷彿とさせる、ロマンティックで耽美的な吸血鬼小説。マシスン『アイ・アム・レジェンド』とは逆のベクトルで、吸血鬼テーマを再興した一作といえるだろう。ルイをブラッド・ピットが、レスタトをトム・クルーズが演じた映画版も大ヒット。『ヴァンパイア・レスタト』などの続刊もある。

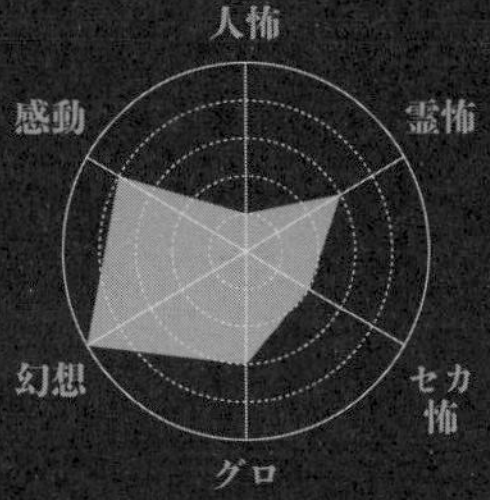

13 シャイニング

スティーヴン・キング
訳／深町眞理子　文春文庫

一九七四年の長編デビュー以来、五十年にわたって旺盛な執筆活動を続けるホラーの帝王スティーヴン・キング。『呪われた町』『ペット・セマタリー』『IT』など読んでほしい作品は無数にあるが、キングらしさがぎゅっと凝縮された『シャイニング』を紹介しておこう。コロラド山中に建つオーバールック・ホテル。冬の間中、雪に閉ざされるそのホテルの住み込み管理人の職を得たジャック・トランスは、妻ウェンディと息子ダニーをともなってホテルを訪れる。〝かがやき〟と呼ばれる不思議な力を持つダニーは、ホテル内で怪異に遭遇。一方、アルコール依存症のジャックは、ホテルを支配する何かに精神を蝕《むしば》まれていく……。幽霊ホテルを舞台に家族の危機を描くという物語は、スタンリー・キューブリック監督による映画版と同じだが、〝かがやき〟の扱いなどテーマに関わる相違点も多い。なお『ドクター・スリープ』は大人になったダニーが登場する続編だ。

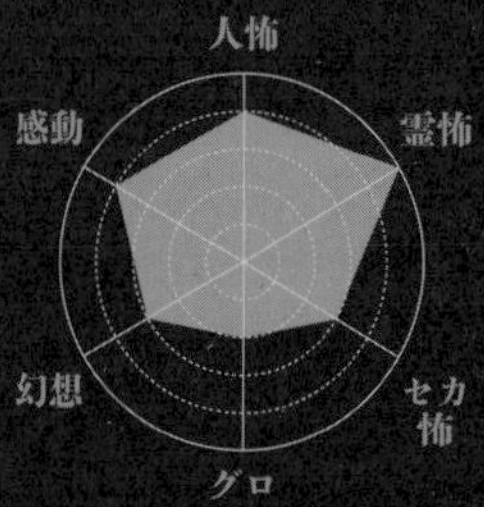

発表年1977年

14 オフシーズン

ジャック・ケッチャム
訳／金子浩　扶桑社ミステリー

ニューヨークから六人の男女グループが、メイン州の避暑地にやってくる。先に到着したカーラは、借家の掃除をしながら恋人のジムなど五人の到着を待つ。その頃、付近では謎の野生児たちによる襲撃事件が起こっていた。六人が揃った夜、借家が〈食人族〉に襲われジムが殺される。さらにカーラも家の外に引きずり出されてしまった。残った四人はなんとか囲まれた家から逃れようと試みるが……。わが国でも熱烈な読者をもつケッチャムのデビュー作。過激な内容のために出版後すぐ品切れになり、本国で長らく日の目を見なかったといういわくつきのサバイバルホラーだ。本書の〈食人族〉は悪意があってカーラたちを襲うのではない。人間が動物を狩るように、ただ食欲に突き動かされて都会人を狩っているのだが、それが逆に恐ろしい。〈食人族〉の子どもたちが大人の女性を追いかけ回す冒頭のシーンには、〝捕食される側〟になる恐怖が端的に表されている。

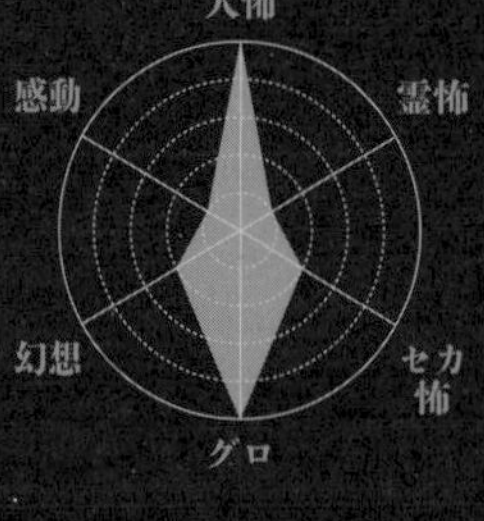

発表年1980年

15 ファントム

ディーン・R・クーンツ
訳／大久保寛　ハヤカワ文庫NV

風光明媚な田舎町スノーフィールドに診療所を開いたジェニー・ペイジ。十七歳下の妹リサをともなって町に戻ってきた彼女は、五百人近い住人が全員死亡しているのを知り愕然とする。駆けつけた警察官や生物科学戦課防衛隊員とともに、大量死の原因を探るジェニー。閉鎖された町で一人、また一人と犠牲者が増えていく。姿なきファントムの正体とは？ 浴室に残されていた〈太古からの敵〉という言葉の意味するものは？ キングとともにモダンホラーブームを牽引したクーンツは、派手なアイデアとスピーディな物語展開、明快な人間ドラマを武器に、エンタメホラーのベストセラーを連発した。一夜にして町が全滅するという強力な〝摑み〟を誇る本書は、スリルとサスペンスに溢れた中盤を経て、ついに正体を現した〈太古の敵〉と人間との対決が描かれる。よくできたB級ホラー映画のような満足感を与えてくれる娯楽作だ。

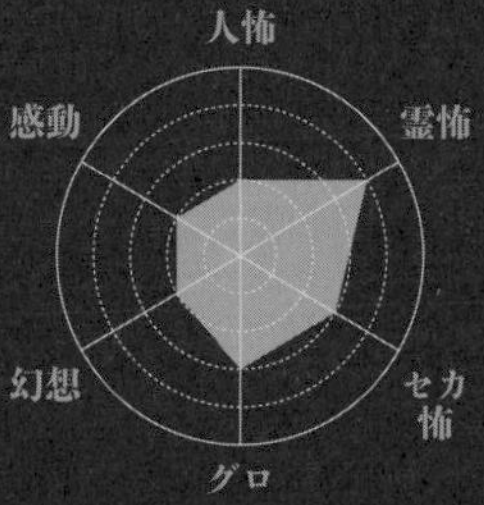

発表年1983年

16 ミッドナイト・ミートトレイン

クライヴ・バーカー
訳／宮脇孝雄　集英社文庫

仕事帰り、深夜の地下鉄に乗りこんだカウフマンは、隣の車両で信じがたい光景を目撃する。毛を剃られ血を抜かれた複数の死体が、逆さ吊りにされているのだ。やがて地下鉄は異形のものが蠢く、闇の世界へと滑り込んでいく……。六冊からなる書き下ろしホラー短編集「血の本」シリーズの第一巻。歓楽の都・ニューヨークの恐るべき秘密を描いた表題作をはじめ、血と肉と幻想的なアイデアに溢れる五編を収録する。とりわけユーゴスラビアを旅するゲイのカップルが、十年に一度行われる儀式に遭遇する「丘に、町が」は、著者の絵画的想像力が炸裂する大傑作だ。これをまだ読んでいない人が羨ましい。「血の本」はバーカーがその名を轟かせたデビュー作で、極彩色の残酷描写とゴシック的美意識とファンタジー志向が共存する、独創的なホラー短編がずらりと並んでいる。残念なことに品切れ状態なので、がんばって古書で全巻揃えてほしい。

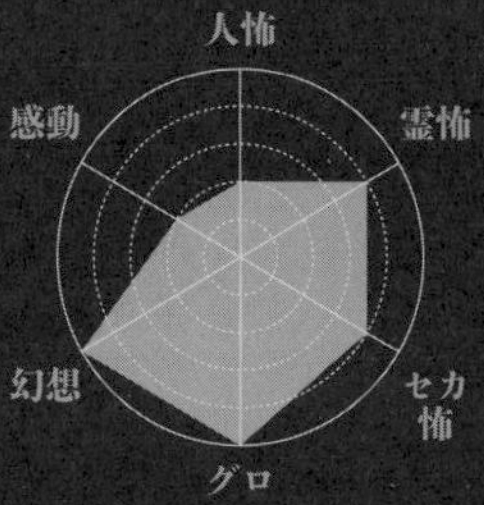

発表年1984年

17

ブラック・フォン

ジョー・ヒル

訳／白石朗他　ハーパーBOOKS

発表年2005年

黒いヴァンに乗った男に誘拐され、地下室に閉じ込められたフィニィ。彼の住む町ではこれまでにも〈ゲイルズバーグの人さらい〉によって複数の少年が殺害されていた。悲嘆に暮れるフィニィ。そんなある日、外に繋がっていないはずの黒電話から呼び出し音が鳴り響いた。電話の向こうで彼に話しかけているのは……。映画化されたサスペンスフルな表題作をはじめ、ホラーアンソロジーの編者が謎の作家の自宅を訪ねる「年間ホラー傑作選」、映画館の席に女の幽霊が現れる「二十世紀の幽霊」など、豊かな物語性とアイデアが重なり合う充実の短編集。デビュー作ながらブラム・ストーカー賞、英国幻想文学新人賞、国際ホラー作家協会賞の三冠に輝いたことが、クオリティの高さを証明している。段ボール製の迷宮が異なる世界に繋がる「自発的入院」のように、幻想味が濃いのも嬉しい。スティーヴン・キングの息子、という枕詞はヒルにはもう不要だろう。

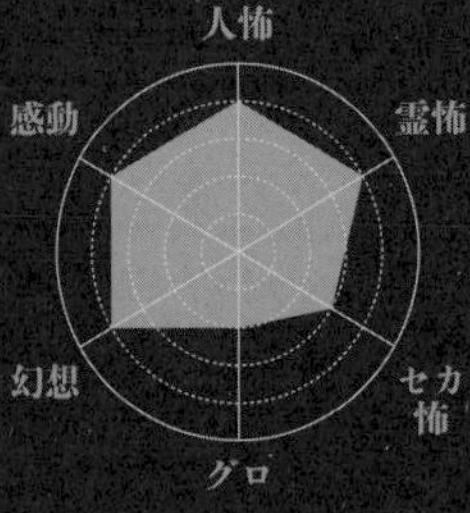

18

ボーダー　二つの世界

ヨン・アイヴィデ・リンドクヴィスト

訳／山田文他　ハヤカワ文庫NV

発表年2006年

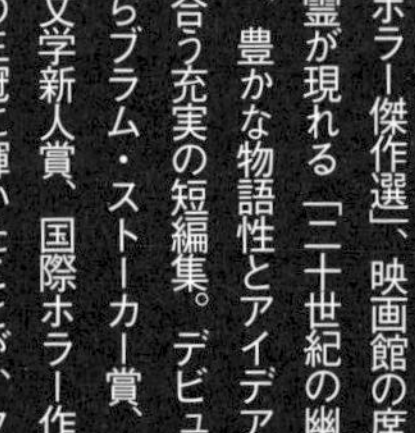

スウェーデンの税関で働くティーナには、他人の嘘や隠し事を嗅ぎ取ることができる特殊な力がある。ある日、虫の孵化箱を持った男に違和感を覚えるが、犯罪に当たるようなものは見つからなかった。二度目にティーナがその男を呼び止めた際、身体検査によって意外な事実が判明する。愛されることなく生きてきたティーナは、ヴォーレというその男に惹かれていくが……。『ぼくのエリ　200歳の少女』のタイトルで映画化された『MORSE―モールス―』の著者による短編集。ティーナとヴォーレの深い繋がりを、超自然的な要素を交えつつ描いた表題作では美醜、男女、現実と非現実などいくつもの境界が溶解し、読者をより複雑で、底の知れない世界へと誘っていく。分かりやすい物語に寄りかからず、唯一の答えを探りだそうとする繊細な手つきは、少年と森に潜むものとの邂逅を描いた「紙の壁」など、他の収録作にも共通している。

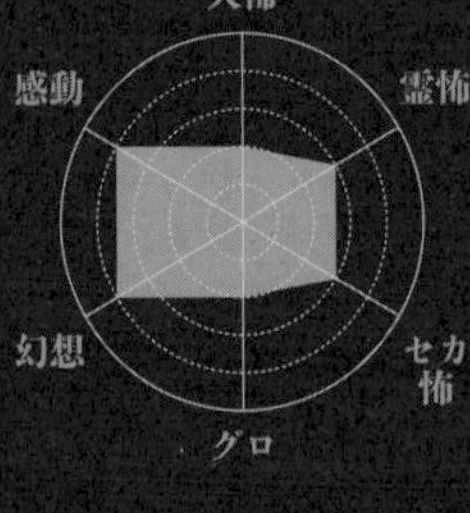

19

わたしたちが火の中で失くしたもの

マリアーナ・エンリケス
訳／安藤哲行　河出書房新社

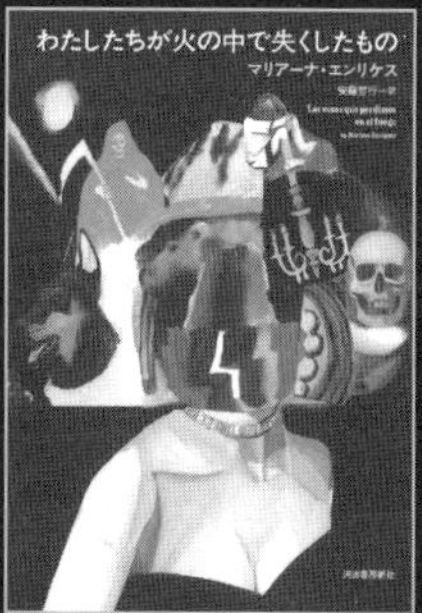

『寝煙草《ねたばこ》の危険』が昨年日本でも話題になった〝アルゼンチンのホラー・プリンセス〟による短編集。ブエノスアイレスでもとりわけ治安の悪い地区で、亡き祖父母の邸宅にひとり暮らすわたしは、幼い浮浪者の存在が気にかかる。ある日、身元不明の子どもの死体が見つかったと知ったわたしの現実は、少しずつ壊れていった（「汚い子」）。お城のような家に住んでいた片腕の少女アデーラ。ホラー映画に熱中していた彼女は、やがて近所の廃屋にとり憑かれてゆく（「アデーラの家」）。死・残酷・猟奇・夢・狂気・廃屋・幽霊といったモチーフが頻出するエンリケスのホラーは、いわばゴシック・ロマンスの現代版。しかもその幻想的な物語には犯罪やドラッグ、性差別やひきこもりなど、現代人が直面している社会問題が刻印されてもいる。クトゥルー神話や日本の幽霊話にインスパイアされた作品も含まれていて、著者のホラーマニアぶりが嬉しい。

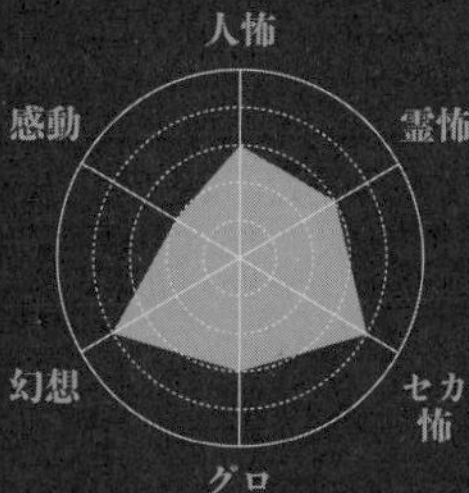

発表年2016年

20

メキシカン・ゴシック

シルヴィア・モレノ＝ガルシア
訳／青木純子　早川書房

一九五〇年のメキシコ、病床の従姉カタリーナを見舞うため、メキシコシティからさびれた田舎町にやってきた大学生のノエミを待ち受けていたのは、古風なヴィクトリア朝の邸宅に暮らすドイル家の面々だった。銀の採掘で巨万の富を得たドイル家は、差別意識に凝り固まった老当主ハワードの顔色をうかがいながら、浮世離れした日々を送っている。カタリーナの力になろうと奮闘するノエミだったが、次第に悪夢に悩まされるようになり……。ポー「アッシャー家の崩壊」やストーカー『ドラキュラ』などを参照して書かれた一種の吸血鬼ものだが、その奥にもう一つ、一族の秘密に関わるあっと驚くアイデアが隠されている。しかもそれが既得権益にしがみつく者たちと、家父長制から自由になろうとする者たちの対立のドラマとも見事に響き合っている。複数の文学賞を受賞したのもうなずける、伝統と革新を感じさせる、二十一世紀のゴシックホラー。

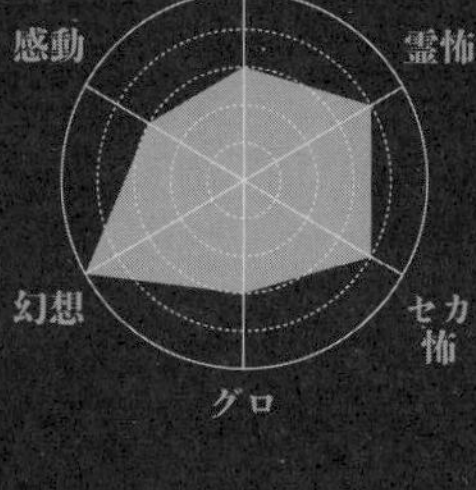

発表年2020年

全アンケート回答

お化けが怖い、人が怖い、世界が怖い——
恐怖の王者は誰だ!?

私のベスト6

MY BEST 6 国内編

様々な分野のホラー愛好家に集結いただき
「推し」ホラーをうかがいました！

※総勢41名による全アンケート回答（原稿到着順）
※巻末リストにない書籍については、版元名を記載しております

堺三保
ライター

1位 背筋 **近畿地方のある場所について**

2位 似鳥鶏 **唐木田探偵社の物理的対応**

3位 饗庭淵 **対怪異アンドロイド開発研究室**

4位 三津田信三 **歩く亡者 怪民研に於ける記録と推理**

5位 阿泉来堂 **死人の口入れ屋**

6位 新名智 **きみはサイコロを振らない**

私見だが、ホラーのおもしろさは「わけのわからなさに怯えること」と「わけのわからなさと対峙すること」の二極に分かれていると思う。1は前者の、2以降は後者のおもしろさを、特に感じたものとして挙げさせていただいた。

豆タイム
ライター

1位 **夜行奇談** 東亮太

2位 **禍** 小田雅久仁

3位 **自由慄** 梨

4位 **ばちあたり怪談** ギンティ小林

5位 **探偵怪談　探偵が実際に調査した人間にまつわる42の怖い話** 総合探偵社ガルエージェンシー

6位 **業界怪談　中の人だけ知っている** NHK「業界怪談 中の人だけ知っている」制作班・編

1、『禍』と悩んだが、想像の余地の作り方が素晴らしい。真相に気付いた時ゾクッとする話が読みたい人に激推し。2、SFエログロナンセンスにホラーを上手く絡めてある。ちょうどいい悪趣味具合が好きです。3、収録されている話すべて既視感なくガッツリ怖い！　珠玉です。4、読み手の想像力を試す異色の作りが面白い。物語というよりエッセンス集のような印象。5、キワを攻める深夜番組のような爆笑ホラールポ。6、心霊ヒトコワ不思議議がバランスよく入っていて◎。

牧原勝志
「幻想と怪奇」編集室

1位 **をんごく** 北沢陶

2位 **黄金蝶を追って** 相川英輔

3位 **彼女はそこにいる** 織守きょうや

4位 **乱歩殺人事件――「悪霊」ふたたび** 芦辺拓・江戸川乱歩

5位 **七人怪談** 三津田信三編著

6位 **乗物綺談　異形コレクションLVI** 井上雅彦監修

投票対象期間よりわずかに早く刊行された朝松健『一休どくろ譚・異聞』（行舟文化）をここに推す。同作を含め「ホラーは第一に文章」と痛感したものを選んだ。1の巧緻な語り、2の異色短編の輝き、3の意表を突く仕掛け、4の理知的怪奇趣味、いずれにも脱帽。5はいわば怪談の試合場だが、中でも菊地秀行「旅の武士」に練達の技を見た。6は多彩な実験場、各編が畏れることなくホラーの可能性を拓く。番外に編者自薦で『幻想と怪奇　ショートショート・カーニヴァル』。

奇妙な世界
怪奇幻想小説愛好家

1位 **禍**
小田雅久仁

2位 **最恐の幽霊屋敷**
大島清昭

3位 **本の背骨が最後に残る**
斜線堂有紀

4位 **みんなこわい話が大すき**
尾八原ジュージ

5位 **ゆうずどの結末**
滝川さり

6位 **もぬけの考察**
村雲菜月

1は奇想に満ちたグロテスクなホラー集。近年稀に見る収穫。2は幽霊屋敷「全部乗せ」の贅沢なエンタメ。3は倒錯的な「痛み」が隠し味の恐怖小説集。4は「呪い」ネタの見せ方がユニーク。6はジャンルホラーとは異なる不条理さが魅力。

大恵和実
翻訳家・アンソロジスト

1位 **禍**
小田雅久仁

2位 **わたしたちの怪獣**
久永実木彦

3位 **本の背骨が最後に残る**
斜線堂有紀

4位 **でぃすぺる**
今村昌弘

5位 **乗物綺談　異形コレクションLVI**
井上雅彦監修

6位 **竜胆の乙女　わたしの中で永久に光る**
fudaraku

ホラーはＳＦやミステリと融合して多様化している。そこでジャンルを超えた傑作を紹介する。1、本を喰い、鼻を削ぎ、耳にもぐり、髪が伸びる。五感と常識をぞわぞわさせる傑作怪奇小説集。2、怪獣・吸血鬼・ゾンビとの遭遇がもたらす救いのない救い。人類に対する絶望と優しさ。3、恐るべき綺想と艶やかな文体から生まれた悪夢たち。4、少年少女が出会った怪異の正体は。怪談とミステリの見事な融合。5、平凡な乗物がまさかの異形に。6、刮目《かつもく》して地獄遊戯の果てを見届けよ。

大野万紀
翻訳家・書評家

1位 禍
小田雅久仁

2位 わたしたちの怪獣
久永実木彦

3位 本の背骨が最後に残る
斜線堂有紀

4位 近畿地方のある場所について
背筋

5位 乗物綺談　異形コレクションLVI
井上雅彦監修

6位 播磨国妖綺譚　伊佐々王の記
上田早夕里

ぼくはSFじいさんなので、ホラーといってもSF・ファンタジーよりの作品が中心です。1は目、髪など人体の各部が描かれた奇想SFの味わいがあり生理的にぞわぞわくる傑作。2もSFとして秀逸で、ブラックなホラーとしても楽しめます。3は奇想的な短篇集ですが心に突き刺す痛みの感覚が強烈。4は実話怪談風のとても不気味な作品です。5はついに五十六冊目となった怪奇アンソロジー。6は連作短編の続編ですが、室町時代の怪異譚を当時の日常のままに描いています。

間室道子
代官山　蔦屋書店

1位 ジャンル特化型　ホラーの扉　八つの恐怖の物語
株式会社闇編著

2位 最恐の幽霊屋敷
大島清昭

3位 鈍色幻視行
恩田陸

4位 夜果つるところ
恩田陸

5位 変な家2　11の間取り図
雨穴

6位 近畿地方のある場所について
背筋

一位は企画の勝利。「恐怖の対象は何？」を切り口とし、5W1Hでジャンル分け。人気作家から気鋭まで八人の作家に書き下ろしを頼んだのである。「私はこの傾向だ」をもとにそこだけ読んでもいいが、ぜんぶにトライすると気づきや新境地の開拓があると思う。私は“自分がなにに戦慄するのか”に発見があった。人智を超えた恐怖の発動や大残酷より、“作中の誰かがへんなところで笑う”。私はそれが怖い。おすすめは澤村伊智さんの「みてるよ」と、芦花公園さんの「終わった町」。

蛙坂須美
怪談作家

1位 禍 小田雅久仁

2位 奇病庭園 川野芽生

3位 アルマジロの手 宇能鴻一郎傑作短編集 宇能鴻一郎

4位 祝福 高原英理

5位 をんごく 北沢陶

6位 近畿地方のある場所について 背筋

ただひとつ言葉のちからによって恐怖の領土を拡張させた、いわば言語ホラーというべきタイトルを挙げる。こう見ると本年は実に豊作揃いで、特に上位に選んだ作品は、物語、詩、批評の高度な三位一体をなしている。ホラーの最前線が、畢《ひっ》竟《きょう》、現代文学の最前線でもあることを教えてくれた。ランキングからは惜しくも漏れたが、澤村伊智『すみせごの贄』、東亮太『夜行奇談』も推す。

YOUCHAN
イラストレーター

1位 ヴァケーション 異形コレクションLV 井上雅彦監修

2位 禍 小田雅久仁

3位 をんごく 北沢陶

4位 百鬼園事件帖 三上延

5位 幻想と怪奇 ショートショート・カーニヴァル 『幻想と怪奇』編集室編

6位 播磨国妖綺譚 伊佐々王の記 上田早夕里

日常がほんの少しずつ脅かされるようなホラー表現が好きなのと、新鋭もベテランも健筆を振るっていることから、異形コレクションは外せなかった。『禍』は装丁も怖い。心にずしりとダメージが来る感じが一級品だった。おそらく今年一番話題だったホラーは『をんごく』だと思う。幻想譚を愛するものとして『百鬼園事件帖』の切なさを抱きしめていたい。

名古屋大学SF・ミステリ・幻想小説研究会

大学サークル

1位 すみせごの贄 澤村伊智

2位 人間標本 湊かなえ

3位 でぃすぺる 今村昌弘

4位 戦物語 西尾維新

5位 梅雨物語 貴志祐介

6位 影牢 現代ホラー小説傑作集 綾辻行人他／朝宮運河編

1人間の怖さ×化け物の怖さという澤村伊智作品の魅力が存分に感じられる短編集。2人間の美醜が恐怖と共存し、読者を蝶のように魅了する圧倒的な作品。3冒険譚の爽やかさと都市伝説の不気味さを、論理的かつオカルティックにまとめ上げた作品。4物語シリーズ最新作。阿良々木暦は高校三年から続いてきた忍野忍との関係に一つの決断をする。5梅雨特有のどんよりした雰囲気が身体にまとわりつくような作品。6それぞれの作者の特色が出た、おどろおどろしさに満ちた短編集。

角田知明

SRの会

1位 蜘蛛の牢より落つるもの 原浩

2位 梅雨物語 貴志祐介

3位 をんごく 北沢陶

4位 すみせごの贄 澤村伊智

5位 禍 小田雅久仁

6位 最恐の幽霊屋敷 大島清昭

元々本格ミステリ好きなので、ホラーも何かしら解決が示されるものが好みである。その意味で一位はドンピシャの作品で、カーの『火刑法廷』を思わせる。二位は虫の話の気色悪さと最終話の、思い込みをひっくり返されたのが印象的。三位は大正時代の描写と化物のキャラの巧さ。四位はあるトリックの使い方にびっくりした。五位は短編全てが、気持ち悪い感性に訴える。六位は屋敷のエピソードが、大島作品の中で最も怖かった。

鈴木力
ライター

1位 **対怪異アンドロイド開発研究室** 饗庭淵

2位 **唐木田探偵社の物理的対応** 似鳥鶏

3位 **禍** 小田雅久仁

4位 **わたしたちの怪獣** 久永実木彦

5位 **黄金蝶を追って** 相川英輔

6位 **沈没船で眠りたい** 新馬場新

ＳＦがホームグラウンドなのでそっち寄りのセレクションになりました。恐怖など人間の情緒を科学によってモノ自体へと解体するのがＳＦの面白さだと思っているので、その意味でホラーだけど笑っちゃうくらいミもフタもないのが１と２。長年書き続けられてきた高品質の短編が３としてまとめられたのは慶賀の至り。６はＡＩが人間の仕事を奪っていくディストピアＳＦながら、その中で拗れていく心理と人間関係が（１・２の選出理由と矛盾するようですが）息苦しくて怖い。

門賀美央子
文筆家

1位 **禍** 小田雅久仁

2位 **近畿地方のある場所について** 背筋

3位 **夜行奇談** 東亮太

4位 **でぃすぺる** 今村昌弘

5位 **梅雨物語** 貴志祐介

6位 **奇病庭園** 川野芽生

文章ならではの怖さが生きる作品を選んだ。１は徐々にずれていく日常を描いた短編集。自我が侵食される現代的な恐怖。２はウェブ小説投稿サイトで火がついたモキュメンタリー形式の作品。ネット掲示板発の怪談様式をうまく利用した。３も小説投稿サイトからだが、こちらは妖怪を怪談に仕立てた。いわば逆方向の面白さで魅せる。４は怪異を現実的に解体するように思わせて……のパターンがいい。５は名手の実力が存分に発揮された。６の幻想的不穏美はまさに絶品。

中島晶也
怪奇幻想文学研究家・超自然的恐怖原理主義者

1位 **禍** 小田雅久仁

2位 **きみはサイコロを振らない** 新名智

3位 **祝福** 高原英理

4位 **百鬼園事件帖** 三上延

5位 **食べると死ぬ花** 芦花公園

6位 **赫き女王 Red Alveolata Queen** 北里紗月

1、途方もないホラ話を、理屈抜きに描写力だけで体感させる豪腕に仰天。2、死への恐怖よりも、生き続けることの怖さを語る思弁小説。ホラーにはこんなこともできる。3、ジャンルホラーではないが、断片的な示唆の蓄積から「語り得ぬもの」が屹立する戦慄は圧倒的。4、この百閒先生、格好良すぎでは？　とか言いつつ、古雅な怪しさに酔わされてしまった。5、やっぱ神様なんてひどいヤツなんですよ！　6、筋書きはごくシンプルで議論が延々続くのに飽きさせない、バイオホラーの快作。

細谷正充
文芸評論家

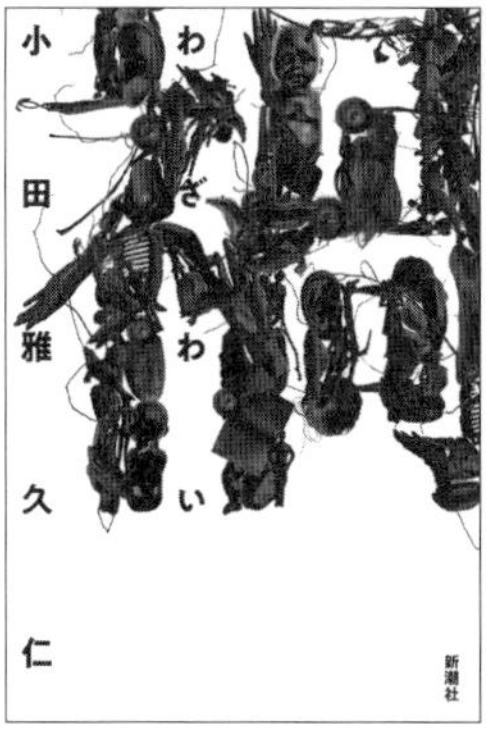

1位 **禍** 小田雅久仁

2位 **本の背骨が最後に残る** 斜線堂有紀

3位 **対怪異アンドロイド開発研究室** 饗庭淵

4位 **一寸先の闇　澤村伊智怪談掌編集** 澤村伊智

5位 **をんごく** 北沢陶

6位 **甲府物語 飯野文彦異色幻想短編集** 飯野文彦

とくに何か考えることなく、読んで面白かった作品を挙げてみた。短篇集が多いのは、私が短篇スキーだからである。それにしても最近の新人は、デビュー作からレベルが高い。北沢・饗庭両氏の今後の活躍を楽しみにしている。

小山正
ミステリ研究家

1位 **禍**　小田雅久仁

2位 **最恐の幽霊屋敷**　大島清昭

3位 **幻想と怪奇　ショートショート・カーニヴァル**　『幻想と怪奇』編集室編

4位 **甲府物語　飯野文彦異色幻想短編集**　飯野文彦

5位 **極楽に至る忌門**　芦花公園

6位 **忌まわしい場所**　倉阪鬼一郎

新作が待ち遠しい作家が大島清昭。そんな彼の2は、救いのない物語だが深い余韻が残る。3は遊戯と怪奇が恐宴する傑作アンソロジー。どの短編も遊び心にあふれ、粒ぞろいだった。4はホスピタリティーあふれるご当地密着ホラー。独特の作風だなあ、と大いに感心した。漫画なので欄外としたが、『諸星大二郎劇場 第5集　アリスとシェエラザード　仮面舞踏会』(ビッグコミックススペシャル)も忘れられない。〈栞と紙魚子〉シリーズ風のホラー・コメディーで、実に楽しい。

香月祥宏
書評家

1位 **禍**　小田雅久仁

2位 **をんごく**　北沢陶

3位 **わたしたちの怪獣**　久永実木彦

4位 **本の背骨が最後に残る**　斜線堂有紀

5位 **八杉将司短編集　ハルシネーション**　八杉将司

6位 **対怪異アンドロイド開発研究室**　饗庭淵

1は強烈な幻視力を孕んだ怪奇幻想小説集。全体を通して大きな破局というよりねじれた幸福のようなところに落ち着く話が多く、読後の背徳感が癖になる。2は舞台設定・キャラ造形・話運び、どれを取ってもデビュー作とは思えない完成度だった。3以下は、ＳＦとの境界から選んでみた。5は、二〇二一年に急逝した著者の短編を集めた電子書籍。ＳＦやホラーの手法を使い、自己と世界の境界線を言葉の力で丁寧に探ってゆく繊細な筆致が印象的だ。

三橋曉
コラムニスト

1位 **近畿地方のある場所について** 背筋

2位 **本の背骨が最後に残る** 斜線堂有紀

3位 **冬に子供が生まれる** 佐藤正午

4位 **食べると死ぬ花** 芦花公園

5位 **をんごく** 北沢陶

6位 **エレファントヘッド** 白井智之

ホラー小説の世界における新たなマイルストーンとなった1。2は、ジャンル小説の世界を自在に行き来する作者による燻し銀ともいうべき恐怖小説集。3に投票するのは私くらいかもしれないが、UFOをめぐる紛れもない悪夢の物語。ネットを震源とする新世代のトップランナーによる贅沢なショーケースの4。ホラー勢が席巻する現在の横溝正史賞を象徴する5。そして、ミステリの枠組みから大きく逸脱するクレイジーでアブノーマルな6。これはどう考えてもホラーだよね。

千街晶之
ミステリー評論家

1位 **近畿地方のある場所について** 背筋

2位 **春のたましい　神祓いの記** 黒木あるじ

3位 **本の背骨が最後に残る** 斜線堂有紀

4位 **をんごく** 北沢陶

5位 **ヨモツイクサ** 知念実希人

6位 **小説家と夜の境界** 山白朝子

玉石混淆気味のフェイク・ドキュメンタリー形式ホラーでは、1がここ数年の作例としてはずば抜けた傑作。読んだだけで祟られそうな怖さというものを久しぶりに味わった。2は、怪談実話方面でヴェテランの風格を示している黒木あるじが、ミステリー的などんでん返しを仕込んだ創作怪談という新境地を開拓した驚愕の一冊。おぞましくも美麗な幻想絵巻が繰り広げられる3は隅々まで私好みだった。4は大正時代末期の大阪船場の雰囲気描写が素晴らしい。

古山裕樹
書評家

1位 **花怪壇** 最東対地

2位 **近畿地方のある場所について** 背筋

3位 **でぃすぺる** 今村昌弘

4位 **ほうかごがかり** 甲田学人

5位 **ゆうずどの結末** 滝川さり

6位 **死人の口入れ屋** 阿泉来堂

1の虚実入り混じった語りが徐々に危うさを帯びていく過程が印象深い。フィクションと分かっていても、侵食される危うさを堪能できる。2は不穏な断片を積み重ねて、徐々に輪郭が浮かび上がる過程に魅了された。3はオカルトと論理の組み合わせが見事。4はまだ完結していないが、着地のさせかたへの期待も込めて。5は電子書籍ではなく本の形で読みたい一冊。6は連作としての定型を作りつつ、そこにちょっとした驚きを混ぜていく語りが気に入った。

吉井桃
離島読書家

1位 **をんごく** 北沢陶

2位 **食べると死ぬ花** 芦花公園

3位 **掲載禁止　撮影現場** 長江俊和

4位 **6** 梨

5位 **蜘蛛の牢より落つるもの** 原浩

6位 **暗い引力** 岩井圭也

大正時代の大阪船場という舞台を存分に活かした、濃密な雰囲気を醸す1が最も印象に残った。その他、常識に背く結末の完成度が見事な2、多彩な設定と仕掛けが心憎い3、幻想に呑まれていく未知の感覚のホラーを堪能した4、堅実に怖い5、人の欲望とその結果の歪さに惹かれる6など、方向性の異なる多種多様なホラーに出逢うことができた。また、雨穴『変な家2』、背筋『近畿地方のある場所について』も大変怖がらせて頂いた。

竹島智哉
フリーライター

1位 **近畿地方のある場所について** 背筋
2位 **最恐の幽霊屋敷** 大島清昭
3位 **みんなこわい話が大すき** 尾八原ジュージ
4位 **祝福** 高原英理
5位 **きみはサイコロを振らない** 新名智
6位 **をんごく** 北沢陶

媒体・時間・形態も異なるエピソードの集積から輪郭を徐々に描きつつ、忌まわしき存在に迫る1と、どストレートなタイトルに恥じぬ最恐っぷりを豪腕で捻じ伏せた2のインパクトが強い。ナイナイとよみごの話がウェットに交錯し、ずしりと重くも温かみを感じる構成の3、言葉に眩惑され、呪われ、寿がれ、複層的に錯綜し凄まじき引力を感じる4。5はゲームや呪いに向き合う中、人物の見る世界、信念が爽やかでもある。大正の大阪へ引き込み、綺麗に纏めきった6も印象深い。

秋好亮平
探偵小説研究会

1位 **涜神館殺人事件** 手代木正太郎
2位 **でぃすぺる** 今村昌弘
3位 **自由慄** 梨
4位 **極楽に至る忌門** 芦花公園
5位 **竜胆の乙女 わたしの中で永久に光る** fudaraku
6位 **禍** 小田雅久仁

1は怪奇趣味に満ちたゴシック世界がキッチュで堪らない。真犯人の繰り出す言葉の異様さは圧巻。2の本領は本格ミステリ形式とホラーとの不可分の構造にある。見かけよりずっと挑戦的だ。3は断片化された短文の余白の不明瞭さに、逆に4は起きている事象は明瞭でもどうにもならない厭さにぞくぞくさせられた。5は酷薄で甘美な幻想怪奇譚……という枠に収まりきらないストーリーテラーぶりが魅力。次点は彩坂美月『double～彼岸荘の殺人～』。1と読み比べるのも一興。

株式会社闇
ホラークリエイティブカンパニー

1位 **禍** 小田雅久仁

2位 **近畿地方のある場所について** 背筋

3位 **食べると死ぬ花** 芦花公園

4位 **をんごく** 北沢陶

5位 **致死率十割怪談** 春海水亭

6位 **中野ブロードウェイ怪談** 渡辺浩弐

正直、順位がつけられないくらいの傑作ばかりですが、二〇二三年は特に『禍』と『近畿地方のある場所について』の年だったのではないかと思います。一位の『禍』は不条理・怪奇小説の向きが強く、「ホラー」という類型で括るのが勿体ないほど独自のスタイルを発揮した作品です。二位の『近畿地方の～』は現代ホラーにおけるひとつの転換点を生み出した小説です。三位～六位の作品もここでは書ききれない魅力がたくさんありますのでぜひ読んでみてください。

宇田川拓也
ときわ書房本店

1位 **近畿地方のある場所について** 背筋

2位 **をんごく** 北沢陶

3位 **七人怪談** 三津田信三編著

4位 **歩く亡者 怪民研に於ける記録と推理** 三津田信三

5位 **ゆうずどの結末** 滝川さり

6位 **対怪異アンドロイド開発研究室** 饗庭淵

すべてKADOKAWAというのもなあ。一瞬ためらいが生じたものの、“ホラー”を冠した三十年続く文庫レーベル、そして新人賞を擁する版元である。その気概への敬意も含め、そのまま通すことにした。1はなにより怖さの演出の上手さで群を抜いていた。2はダークヒーロー“エリマキ”の魅力勝ち。3の豪華執筆陣は、ホラー・怪奇小説ファンなら野外ロックフェスにも負けないくらい熱狂すること必至。5と6のような野心的で活きのいいホラーをもっと読みたい、売りたい！

檜原聖司
ライター

1位 **をんごく** 北沢陶
2位 **本の背骨が最後に残る** 斜線堂有紀
3位 **近畿地方のある場所について** 背筋
4位 **眠れなくなる怪談沼 実話四谷怪談** 川奈まり子
5位 **梅雨物語** 貴志祐介
6位 **流神館殺人事件** 手代木正太郎

1、ある言葉の意味が解かれた瞬間、脳内に浮かぶ情景も相まって鳥肌がたった。キャラクター小説としても年間ベスト。2、勿体ぶらずに披露される奇想の一つ一つが魅惑的。著者のバックグラウンドの広さが発揮された、ジャンルミックスホラーの大収穫。3、細かなエピソードのディテールに工夫を忘れないサービス精神。4、挑戦的で誠実な「四谷怪談」へのアプローチ。5、執念を感じるほど手の込んだ趣向に唸る。6、物語を締める光景が期待を超えた美しさ。

野地嘉文
ミステリ研究家

1位 **唐木田探偵社の物理的対応** 似鳥鶏
2位 **でぃすぺる** 今村昌弘
3位 **昭和怪談** 嶺里俊介
4位 **ヨモツイクサ** 知念実希人
5位 **歩く亡者 怪民研に於ける記録と推理** 三津田信三
6位 **最恐の幽霊屋敷** 大島清昭

1は異能力者が怪異に物理攻撃で立ち向かうという破天荒な内容に比して展開は重い。2は怪奇マニアの小学生を主人公に据え、相方に優等生の女の子を配することでホラーとミステリとのバランスをとった人物配置が巧い。同様に5と6もホラーとミステリのバランスが絶妙。3は昭和を十年ごとに区切り、世相を背景にした連作怪奇譚。4はアイヌの伝承、自然の驚異、先端医療を題材にしたバイオホラー。投票用作品リストでは読了本は六〇%になった。

東京大学新月お茶の会

東京大学文芸サークル

1位 一寸先の闇 澤村伊智怪談掌編集　澤村伊智

2位 きみはサイコロを振らない　新名智

3位 涜神館殺人事件　手代木正太郎

4位 近畿地方のある場所について　背筋

5位 小説家と夜の境界　山白朝子

6位 ジャンル特化型　ホラーの扉　八つの恐怖の物語　株式会社闇編著

1、日常の延長に怪異を滲ませる描写が巧み。特に「さきのばし」は傑作。2、呪いの正体を探るミステリと、過去に向き合う青春が味わい深い傑作。3、本格志向のパズルが怒濤の破局に雪崩れ込み、読者を戦慄させる。4、奇を衒《てら》わない。徹頭徹尾王道。なのに怖い。そんな実力派のホラー小説だ。5、後味のいい話もあるが、小説家という切り口から様々な狂気を描いている短編集。6、ホラーの名手たちが得意ジャンルで恐怖を演出する、珠玉のアンソロジー。

青柳美帆子

ライター

1位 をんごく　北沢陶

2位 近畿地方のある場所について　背筋

3位 本の背骨が最後に残る　斜線堂有紀

4位 極楽に至る忌門　芦花公園

5位 すみせごの贄　澤村伊智

6位 戸張と御子柴　孤島の夜の黄泉還り　蒼月海里

1、じっとりと美しい前半、空気が変わる中盤、切なさの後半……一冊通した満足度がめちゃくちゃ高い。2、ネット連載をリアルタイムで追った読者が最も楽しんだはず。でも書籍版もちゃんと怖い。3、耽美とキャッチーのバランス。4、二〇二三年バズミームのひとつである「因習村」的ホラー（作者の複雑な目配せも本文中に感じる）。5、技巧と緩急で読者を振り回す。シリーズならではの仕掛けも。6、まさかのコズミックホラー！小説家と配信者のやりとりが楽しい。

嵩平何
ミステリ研究家

1位 **近畿地方のある場所について** 背筋

2位 **極楽に至る忌門** 芦花公園

3位 **日本ホラー小説大賞《短編賞》集成2** 曽根圭介他

4位 **流神館殺人事件** 手代木正太郎

5位 **魔女の原罪** 五十嵐律人

6位 **でぃすぺる** 今村昌弘

1はその細やかなリアリティーの表現に圧倒される。様々な着想が存分にちりばめられ、大変に贅沢な一冊！　2はわけのわからない状況に放り込まれる怖さを堪能。筋立ても巧い。3は魅力的な企画ながら、選評や解題も欲しかった。4は迫力のある怪異ホラー部分を殺さずに、ミステリとしても成立させているのが魅力。5は何が起こっているのかという謎がもたらすサスペンスと、終盤の恐怖に顫える。6はミステリとホラーの融合に対する新たな試みとして取り上げておきたい。

笹川吉晴
文芸評論家

1位 **甲府物語 飯野文彦異色幻想短編集** 飯野文彦

2位 **近畿地方のある場所について** 背筋

3位 **最恐の幽霊屋敷** 大島清昭

4位 **百鬼園事件帖** 三上延

5位 **をんごく** 北沢陶

6位 **みんなこわい話が大すき** 尾八原ジュージ

1は地方に根を張った異能の怪奇幻想作家による個的な創作活動の精華。2はWeb発、実話系怪談パスティシュという二大潮流の中でも気味悪さと小説ならではのハッタリが出色。3は作品自体が心霊スポット＝怪談発生のメカニズムを映し出す。4は内田百閒作品のモティーフを作家その人へと還流し、現実を怪談化する作家論ホラー。5は大正末期の船場という異界を描ききった力作。6は呪いという人外の理を日常の視線で捉えて陰惨さが際立つが、読み口はどこか切なく爽やか。

岡和田晃
文芸評論家・作家

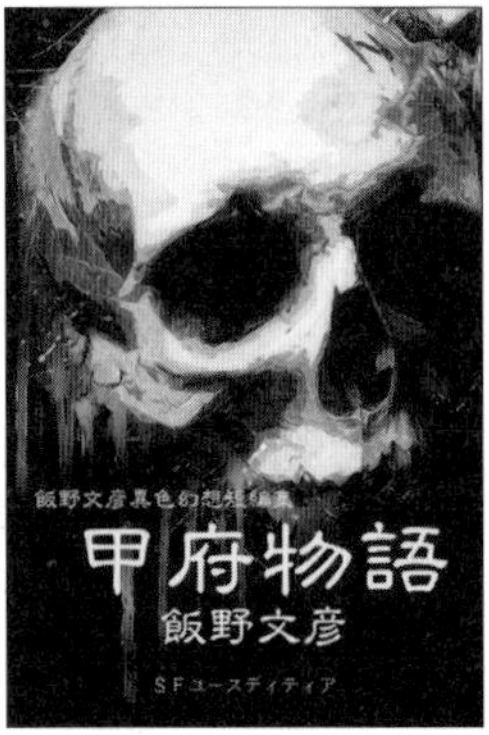

1位 **甲府物語 飯野文彦異色幻想短編集** 飯野文彦

2位 **播磨国妖綺譚 伊佐々王の記** 上田早夕里

3位 **歩く亡者 怪民研に於ける記録と推理** 三津田信三

4位 **禍** 小田雅久仁

5位 **怪談六道 ねむり地獄** 蛙坂須美

6位 **祝福** 高原英理

1は語りの段階的なひねりが、山梨という土地の固有性と見合う。2は待望の続編。“陰陽師”という形象を介し、岡山や兵庫という地に宿る人々の記憶が蘇るのが魅力。3は全体的な完成度の高さに甘んじない向学心に敬服。4は、転がる奇想を粘り腰の文体で追うのが面白い。実話怪談風の5は、拾ってくるネタのセンスを買う。6は初出作の大半を編集したのでこの順位に留めたが、言葉そのものの幻想性の強度は比類がない。他、『近畿地方のある場所について』も良かった。

朝宮運河
怪奇幻想ライター

1位 **をんごく** 北沢陶

2位 **近畿地方のある場所について** 背筋

3位 **禍** 小田雅久仁

4位 **本の背骨が最後に残る** 斜線堂有紀

5位 **6** 梨

6位 **最恐の幽霊屋敷** 大島清昭

1は構成といい文章力といいキャラ設定といいすべてが申し分のないデビュー作。繊細な恐怖を表現できる俊英の今後に期待。大ヒットしたモキュメンタリーホラーの2も、怪異表現のセンスに唸った。3と4はいずれも異常な着想に心躍る怪奇幻想短編集。考えてはいけないことに果敢に挑む姿勢が頼もしい。5はたくらみに満ちた恐怖の一大パノラマで、各話の恐怖度が高い。6はパワフル系幽霊屋敷ものの快作である。期せずして新しい作家が並んだ。ホラーの明日は明るい。

友清哲
フリーライター

1位 **小説家と夜の境界** 山白朝子
2位 **彼女の隣で、今夜も死人の夢を見る** 竹林七草
3位 **きみはサイコロを振らない** 新名智
4位 **梅雨物語** 貴志祐介
5位 **でぃすぺる** 今村昌弘
6位 **祝福** 高原英理

いわゆるホラーミステリーと呼ばれる分野に好みが偏ってしまうのは、『リング』以来の性《さが》のようなものかもしれません。1を首位に据えたのは、著者の山白朝子名義の活動が脈々と続いている喜びから。2は読後の余韻を買ってこの位置に。そして待ってましたの4は、著者の真骨頂を堪能させていただきました。5は、ホラーというジャンルとは無関係に最後まで楽しませてくれた謎解きの妙味から、満足度の高い作品でした。国産ホラーのさらなる発展に期待！

野村恒彦
古書店主

1位 **外科室・天守物語** 泉鏡花
2位 **アルマジロの手 宇能鴻一郎傑作短編集** 宇能鴻一郎
3位 **龍潭譚** 泉鏡花
4位 **でぃすぺる** 今村昌弘
5位 **幻想と怪奇 ショートショート・カーニヴァル** 『幻想と怪奇』編集室編
6位 **死者の試写会へようこそ 怪異名所巡り12** 赤川次郎

選んだ作品は古いものが主流となってしまった。投票を見ると、やはり自分はクラシック好みということの証明になっているのである。泉鏡花作品の人気は根強く、現在に至っても衰えないのは、作者の感性が大きいのかもしれない。それにしても思い出すのは、サラリーマンになって初めてのボーナスで買ったのは岩波書店の「鏡花全集」だったというのも何か因縁めいたものを感じてしまうのである。

青木逸美
ライター

1位 ヨモツイクサ 知念実希人

2位 梅雨物語 貴志祐介

3位 青瓜不動 三島屋変調百物語九之続 宮部みゆき

4位 近畿地方のある場所について 背筋

5位 6 梨

6位 禍 小田雅久仁

1は得体の知れない「何か」に襲われる怖さに震える。息もつかせぬ恐怖の連続を耐え抜いた心臓がラストの衝撃に止まりかけた。2、見てはいけない怪しの世界。当分、キノコは食べたくない。3、異形も怪異も、聞いて聞き捨て、語って語り捨ての“百物語”百話目に何が起こるのか？　4、5、ぼんやりとした記憶の底にある不安と怖れ。読めば悪夢は必至。6、本読みなら必ず戦慄する一話目「食書」がオススメ。不快感と恐怖の狭間で溺れそうになる。

佐々木敦
思考家／批評家／文筆家

1位 近畿地方のある場所について 背筋

2位 6 梨

3位 一寸先の闇　澤村伊智怪談掌編集 澤村伊智

4位 禍 小田雅久仁

5位 最恐の幽霊屋敷 大島清昭

6位 きこえる 道尾秀介

『近畿』には不満もあるのだが、ホラーの新潮流の代表的な大ヒット作として一位に置かざるを得ない。梨は『その怪文書を読みましたか』『自由慄』も良かった。澤村のショートショートには感心した。才人だと思う。大島はどんどん上手くなっている。道尾の『きこえる』はホラー仕立ての収録作だけでなく、結末を耳で聞くアイデアを含め、全体に漂う雰囲気がホラー的。選外では滝川さり『ゆうずどの結末』が「結末」までは面白かった。飯野文彦『甲府物語』も良かったです。

杉江松恋
書評家

1位 **をんごく** 北沢陶
2位 **錠剤F** 井上荒野
3位 **本の背骨が最後に残る** 斜線堂有紀
4位 **梅雨物語** 貴志祐介
5位 **唐木田探偵社の物理的対応** 似鳥鶏
6位 **赫き女 Red Alveolata Queen** 北里紗月

横溝正史ミステリ＆ホラー大賞受賞作の１は本年度最大の収穫でした。戦前の大阪・船場を舞台に展開される物語は怖さと同時に哀しさを感じさせ、忘れがたい。２はホラー読者に見逃されていると思いますが、人間感情の負の面を描いた短編集で素晴らしい。３はグラン・ギニョル的味わいのある表題作がなんといってもよく、４は湿度の高い表現と内容がよく合致した良質の中篇集です。５はホラーの新しい可能性に挑戦した意欲作、６は火曜ロードショー的なギミックに痺れました。

日下三蔵
ミステリ研究家

1位 **近畿地方のある場所について** 背筋
2位 **禍** 小田雅久仁
3位 **ヨモツイクサ** 知念実希人
4位 **極楽に至る忌門** 芦花公園
5位 **マガツキ** 神永学
6位 **でぃすぺる** 今村昌弘

ホラーだけでベスト６なんて選べるか？　と思ったけど、送られてきたリストを見たら四十冊以上は読んでいて、割と余裕でした。

言われてみれば、ミステリやＳＦとも融合してジャンル横断的な良作が数多く出ている訳で、小さい市場しかなかった国産ホラーは、いまや豊かな収穫の時期に入っているようだ。

ただ、ベストを選ぶ以上は、「怖さ」を基準にしたいと考え、なるべく怖かった作品を挙げてみました。

風間賢二
翻訳家・怪奇幻想小説研究家

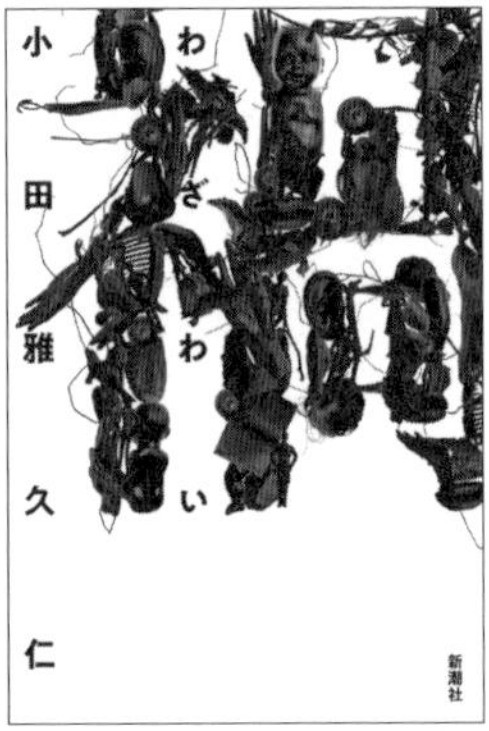

1位 **禍**
小田雅久仁

2位 **近畿地方のある場所について**
背筋

3位 **6**
梨

4位 **食べると死ぬ花**
芦花公園

5位 **をんごく**
北沢陶

6位 **奇病庭園**
川野芽生

6は本格ホラーと言うより詩的なダークファンタジーで、起伏のあるストーリーより妖異な雰囲気や奇抜な世界観に酔いたい人向け。この6と5の長編以外はすべて短編集。近年は小説投稿サイト出身の書き手が活躍しているようだ。4はその代表格のひとりによる胸糞悪い話の詰め合わせ。3も気持ち悪くて不快になれる連作怪奇譚集。2は疑似ドキュメンタリーの手法が巧みなあまり、リアルにこわい。1はエロもグロも奇想も語り＝騙りの技巧も戦慄度も最上級の怪異猟奇幻想譚だ。

南坊泰司
ミステリ好き

1位 **近畿地方のある場所について**
背筋

2位 **禍**
小田雅久仁

3位 **小説家と夜の境界**
山白朝子

4位 **わたしたちの怪獣**
久永実木彦

5位 **歪つ火**
三浦晴海

6位 **蜘蛛の牢より落つるもの**
原浩

「ホラー」の魅力ってなんだろう。私は「奇妙さの先にある怖さ」が一つである、と考える。1は巧妙な構成で恐怖を形作るモキュメンタリー風の傑作、2は狂った世界・気持ち悪さ・奇想を三位一体にして怖さを醸す短編集、3は小説家という職業の宿痾を突き詰めて怖さに昇華させた作品、4はＳＦという非日常を利用して幻想へ誘いこむ短編集、5はド直球のジェットコースターで読者を巻き込む、6は人間の恐ろしさとミステリで端正に仕立てている。バランスの先に完成度がある。

全
アンケート
回答

お化けが怖い、人が怖い、世界が怖い——
恐怖の王者は誰だ!?

私のベスト6 MY BEST 6 海外編

様々な分野のホラー愛好家に集結いただき
「推し」ホラーをうかがいました!

※総勢36名による全アンケート回答(原稿到着順)
※巻末リストにない書籍については、版元名を記載しております

堺三保
ライター

1位 メアリ・ジキルと囚われのシャーロック・ホームズ シオドラ・ゴス

2位 寝煙草の危険 マリアーナ・エンリケス

3位 暗い庭 聖人と亡霊、魔物と盗賊の物語 ラモン・デル・バリェ=インクラン

4位 シャーロック・ホームズとサセックスの海魔 ジェイムズ・ラヴグローヴ

5位 フランケンシュタインの工場 エドワード・D・ホック

6位 ブラッド・クルーズ マッツ・ストランベリ

1、4、5はパスティーシュの面白さをとった。特に1は、ホラーにこういう表現はどうかと思うが、とにかくいろんな原典を縦横に取り入れて痛快な冒険譚に仕上げているところが愉しい。

牧原勝志
『幻想と怪奇』編集室

1位 **生贄の門** マネル・ロウレイロ

2位 **寝煙草の危険** マリアーナ・エンリケス

3位 **異能機関** スティーヴン・キング

4位 **ドイツ・ヴァンパイア怪縁奇談集** ラウパッハ他／森口大地編訳

5位 **幽霊綺譚 ドイツ・ロマン派幻想短篇集** ヨハン・アウグスト・アーペル他

6位 **吸血鬼ヴァーニー 或いは血の饗宴 第一巻** ジェームズ・マルコム・ライマー＆トマス・ペケット・プレスト

ディオダティ荘で読まれた5、名のみ知られる吸血鬼物語6など、古典発掘に数々の目覚ましい成果が。中でも4は、古典紹介が次の段階、未知の領域の踏査へと移ったかのような快挙だ。一方でスペイン語圏に光が当たり、キング・ジュニア世代の長編としても屈指の傑作1、無類の短編集2にホラーの未来を見た。新たな局面にあっても不動のキングはやはりその名にふさわしく、3は脇目を許さない一気読みの傑作だった。番外に編者自薦『新編 怪奇幻想の文学4　黒魔術』を。

奇妙な世界
怪奇幻想小説愛好家

1位 **最後の三角形 ジェフリー・フォード短篇傑作選** ジェフリー・フォード

2位 **お城の人々** ジョーン・エイキン

3位 **寝煙草の危険** マリアーナ・エンリケス

4位 **幽霊綺譚 ドイツ・ロマン派幻想短篇集** ヨハン・アウグスト・アーペル他

5位 **九月と七月の姉妹** デイジー・ジョンソン

6位 **ブラッド・クルーズ** マッツ・ストランベリ

1は密度の濃い幻想小説集。2は喜劇と悲劇が入り混じるファンタジー集。3はアルゼンチン作家のホラー集。現実的・社会的要素が強め。4は古典幽霊譚が楽しめるアンソロジー。5は心理的に怖い。6は爽快な吸血鬼パニックホラー。

大恵和実
翻訳家・アンソロジスト

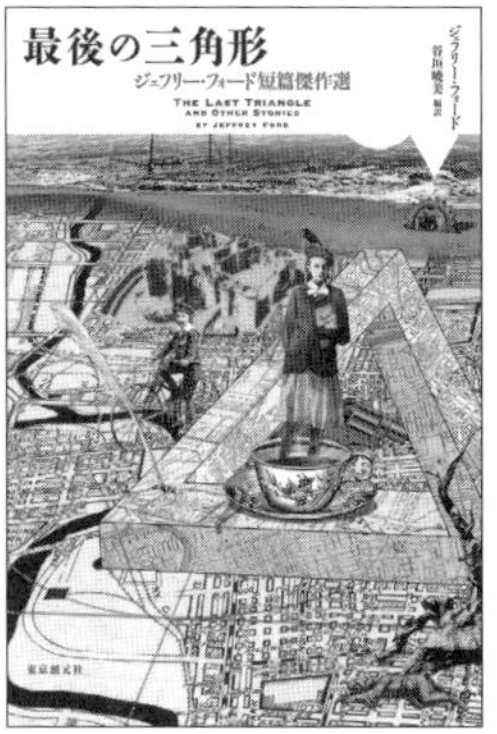

1位 **最後の三角形 ジェフリー・フォード短篇傑作選** ジェフリー・フォード

2位 **妄想感染体** デイヴィッド・ウェリントン

3位 **忘却の河** 蔡駿

4位 **幽霊ホテルからの手紙** 蔡駿

5位 **寝煙草の危険** マリアーナ・エンリケス

6位 **大仏ホテルの幽霊** カン・ファギル

近年、日本ではＳＦやミステリ同様、海外ホラーの多国籍化が進んでいる。ぜひ、この勢いを維持し、未知の海外ホラーをどんどん翻訳してほしい。１、アメリカの幻想小説の名匠による傑作短篇集。共感覚の少年少女が出会って現実が揺らぐ「アイスクリーム帝国」がベスト。２、植民惑星の調査隊を致死性の妄想が次々に襲う宇宙ＳＦホラー。３・４、中国の輪廻転生ミステリとゴシックホラー。５、アルゼンチンの怪奇幻想小説。６、「恨」をめぐる韓国のゴシックスリラー。

三津田信三
作家

1位 **妄想感染体** デイヴィッド・ウェリントン

2位 **異能機関** スティーヴン・キング

3位 **忘却の河** 蔡駿

4位 **生贄の門** マネル・ロウレイロ

5位 **大仏ホテルの幽霊** カン・ファギル

6位 **ナッシング・マン** キャサリン・ライアン・ハワード

１、妄想毎《ごと》に異なる恐怖、崩壊する宇宙船のアクション、先の読めないサスペンス、と三拍子が揃ったＳＦホラー冒険小説の傑作。２、キングの長篇は「もういいや」と言い続けてきたが、本作で久し振りに原点回帰した。３、全四部のうち一部から二部に掛けての熱量が凄まじい。４、プロットは単純ながらもリーダビリティに優れている。５、全盛期のキングを彷彿とさせる饒舌体の文章に引き込まれた。６、自分が犯した事件のノンフィクションを殺人鬼本人が読む設定が面白い。

間室道子
代官山 蔦屋書店

1位 **となりのブラックガール** ザキヤ・ダリラ・ハリス

2位 **奇妙な絵** ジェイソン・レクーラック

3位 **ロンドン幽霊譚傑作集** W・コリンズ他／夏来健次編訳

4位 **異能機関** スティーヴン・キング

5位 **最後の三角形 ジェフリー・フォード短篇傑作選** ジェフリー・フォード

6位 **お城の人々** ジョーン・エイキン

私にとって怖さは「方向」だ。血や呪力の「増量作品」ってオソロシイけど慣れる。その点、得体のしれない方から来た話。これは怖い。一位は白人だらけの出版社に勤務するブラックガールの話で、ある日自分と同じく「若くて」「黒人で」「女性の」「アシスタント」が採用される。うちにもついに多様性が、と彼女は喜ぶが……。霊もバケモノも出てこないが、自分がなにを読まされていたのかに気づく瞬間、戦慄。悪意とか陰謀とか、単純な名付けのできない恐怖がここにある。

蛙坂須美
怪談作家

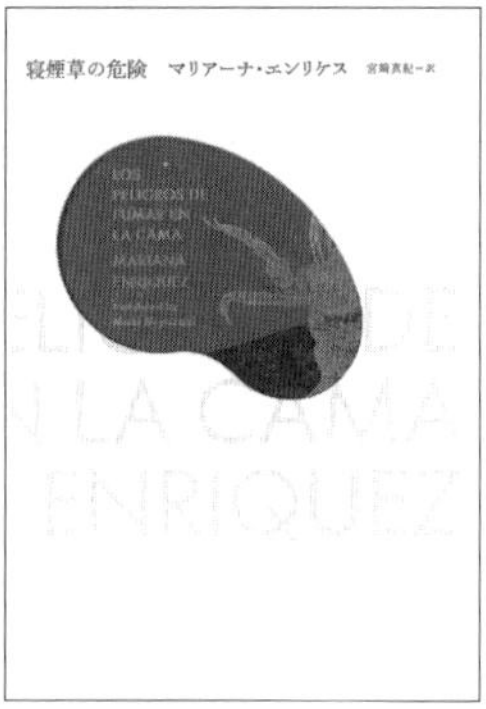

1位 **寝煙草の危険** マリアーナ・エンリケス

2位 **最後の三角形 ジェフリー・フォード短篇傑作選** ジェフリー・フォード

3位 **ドイツ・ヴァンパイア怪縁奇談集** ラウパッハ他／森口大地編訳

4位 **閉ざされた扉 ホセ・ドノソ全短編** ホセ・ドノソ

5位 **穏やかな死者たち シャーリイ・ジャクスン・トリビュート** ケリー・リンク他／エレン・ダトロウ編

6位 **迷いの谷 平井呈一怪談翻訳集成** A・ブラックウッド他

ラテンアメリカ、女性作家、ゴシック、短篇小説の翻訳に光るものがある一年だったが、個人的には1がぶっちぎり。解説によると長篇小説や紀行文、評伝など多岐にわたる仕事をしているそうなので、この人のものはもっと読みたい。3は資料的、文学的価値はもちろん、巻末の訳者解題が素晴らしいの一言。4以下は完全に趣味。ランキング外ではあるが、ゴーティエ、ストーカー、レ・ファニュといった古典の傑作を続々新訳してくれた光文社古典新訳文庫には深い敬意を表す。

YOUCHAN
イラストレーター

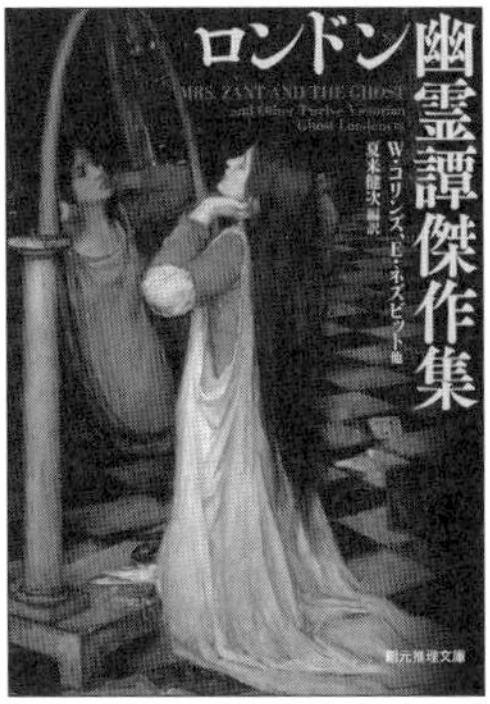

1位 **ロンドン幽霊譚傑作集** W・コリンズ他／夏来健次編訳

2位 **新編 怪奇幻想の文学4 黒魔術** 紀田順一郎、荒俣宏監修／牧原勝志編

3位 **迷いの谷 平井呈一怪談翻訳集成** A・ブラックウッド他

4位 **幽霊ホテルからの手紙** 蔡駿

5位 **シャーロック・ホームズとミスカトニックの怪** ジェイムズ・ラヴグローヴ

6位 **死霊の恋／化身 ゴーティエ恋愛奇譚集** テオフィル・ゴーティエ

期間ギリギリのところで刊行された『ロンドン幽霊譚傑作集』が大変素晴らしかった。編訳者の目指すものがより強く出ており、とても良い。『幻想と怪奇14 ロンドン怪奇小説傑作選』も併せて楽しみたい。『新編 怪奇幻想の文学』シリーズはますます面白い。クラッシックな色合いの作品のみならず、現代性を帯びたものもある等、随所に見せる工夫が心憎い。平井呈一を通じて読むホラーも素晴らしく、とても良い企画だった。

角田知明
SRの会

1位 **奇妙な絵** ジェイソン・レクーラック

2位 **異能機関** スティーヴン・キング

3位 **寝煙草の危険** マリアーナ・エンリケス

4位 **迷いの谷 平井呈一怪談翻訳集成** A・ブラックウッド他

5位 **生贄の門** マネル・ロウレイロ

6位 **呪いを解く者** フランシス・ハーディング

国内篇の一位と同じく、海外篇の一位もホラーとミステリを巧みに融合させた作品で、すっかり騙されてしまった。二位は、冒頭から、とんでもない小説を読まされる予感に震えた。三位は怖い短編集だったが、歩いていていきなり排便を始める老人と娘が衝撃的。四位は「猫町」に住みたくなる。五位は前半のバディ物警察小説と後半の怪物小説のギャップの大きさに。六位は変貌したのは誰か？ 変貌させたのは誰か？ のフーダニットが面白かった。

鈴木力
ライター

1位 妄想感染体
デイヴィッド・ウェリントン

2位 寝煙草の危険
マリアーナ・エンリケス

3位 最後の三角形 ジェフリー・フォード短篇傑作選
ジェフリー・フォード

4位 フランケンシュタインの工場
エドワード・D・ホック

5位 ブラッド・クルーズ
マッツ・ストランベリ

6位 奇妙な絵
ジェイソン・レクーラック

エンタメと文学寄りの作品に分かれました。1は圧倒的ストーリーテリングに加えてスルスルと読める訳文も見事。ただし三部作の第一部で話はこれ自体では完結していません。ちゃんと続きは出るんでしょうね（作者と出版社へ圧）。文学寄りの代表は2ですが、小説の背後にある現実を思うと、投票期間外のため除外した『ラヴクラフト・カントリー』ともども「一番怖いのは怪物でも幽霊でもなく生身の人間だ」ということになりそうです。我ながら陳腐な結論で恐縮ですが……。

中島晶也
怪奇幻想文学研究家・超自然的恐怖原理主義者

1位 幽霊ホテルからの手紙
蔡駿

2位 寝煙草の危険
マリアーナ・エンリケス

3位 九月と七月の姉妹
デイジー・ジョンソン

4位 奇妙な絵
ジェイソン・レクーラック

5位 生贄の門
マネル・ロウレイロ

6位 ドイツ・ヴァンパイア怪縁奇談集
ラウパッハ他／森口大地編訳

非英語圏の現代作品が印象に残る一年だった。1は中国。「自然か超自然か？」を飛び越え「現実か虚構か？」の域に踏み込む展開に驚愕。2はアルゼンチン。デビュー短篇集らしい若書きだが、それゆえに読者の神経を遠慮なく鷲掴みしてくる。5はスペイン。無駄なくかっちり仕上がった娯楽作。英語圏では、幻惑的な文体が心地よい英国産サイコ3、紙の本ならではの趣向が楽しい米国産サイキック4を推す。古典系では、吸血鬼小説史に新たな視点を提示した6が素晴らしかった。

細谷正充
文芸評論家

1位 **メアリ・ジキルと囚われのシャーロック・ホームズ** シオドラ・ゴス

2位 **ロンドン幽霊譚傑作集** W・コリンズ他／夏来健次編訳

3位 **生贄の門** マネル・ロウレイロ

4位 **奇妙な絵** ジェイソン・レクーラック

5位 **ブラッド・クルーズ** マッツ・ストランベリ

6位 **寝煙草の危険** マリアーナ・エンリケス

ホラー小説（というか怪奇小説）を意識的に読むようになったのは、若い頃に海外の古典短篇に接してからだろう。だから二位にしたアンソロジーが、懐かしく、慕わしい。E・ネズビットの作品が入っているのも嬉しかった。どこかの出版社がネズビットの怪奇小説短篇集でも出してくれないかしら。

小山正
ミステリ研究家

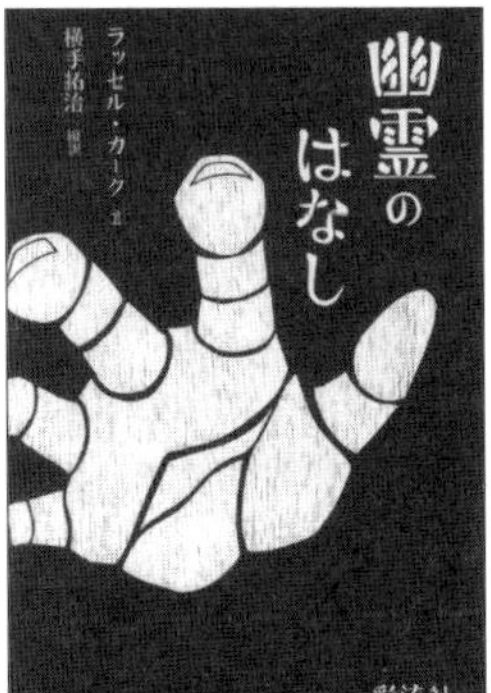

1位 **幽霊のはなし** ラッセル・カーク

2位 **生贄の門** マネル・ロウレイロ

3位 **異能機関** スティーヴン・キング

4位 **寝煙草の危険** マリアーナ・エンリケス

5位 **ロンドン幽霊譚傑作集** W・コリンズ他／夏来健次編訳

6位 **幻想と怪奇15 霊魂の不滅 心霊小説傑作選** 『幻想と怪奇』編集室

1はアメリカの偉大な政治学者ラッセル・カークの怪談集。彼が趣味で書いた怪奇譚は、どれも僕のツボに気持ちよくはまる。中でもお気に入りの短編が、古本マニア垂涎の怖い話「影を求めて」だ。カークは長篇も訳して欲しいなあ。6に収録された「我が墓を見よ」も古い作品だが、今読んでも味わい深い。実生活で本当の魔女だった、と言われる作家マージョリー・ボウエンの真骨頂が味わえる。近作では2がオフビート。ラテンの血が騒ぐスパニッシュ・ホラーはクセになるねえ。

香月祥宏
書評家

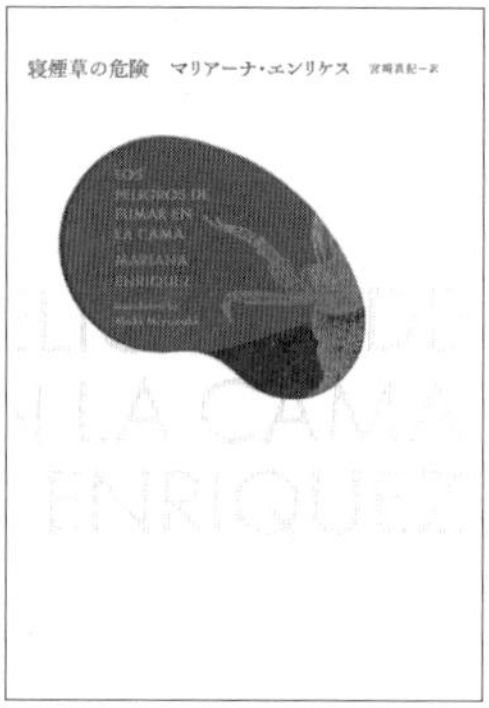

1位 **寝煙草の危険** マリアーナ・エンリケス

2位 **最後の三角形 ジェフリー・フォード短篇傑作選** ジェフリー・フォード

3位 **穏やかな死者たち シャーリイ・ジャクスン・トリビュート** ケリー・リンク他／エレン・ダトロウ編

4位 **生贄の門** マネル・ロウレイロ

5位 **異能機関** スティーヴン・キング

6位 **ロボット・アップライジング AIロボット反乱SF傑作選** アレステア・レナルズ他／D・H・ウィルソン＆J・J・アダムズ編

1は、誰しもが抱える不安や孤独を描きながら社会問題にも接続する短篇集。話に独特の抑揚があり、読後まで気持ちを揺さぶられる。2も読み応えのある一冊で、とくに「マルシュージアンのゾンビ」は、今まで読んだことのないゾンビもので驚いた。3は、目の付け所が異なる作品群からたしかにジャクスンが浮かび上がる良質なトリビュート。6は必ずしもホラー風味の作品ばかりではないが、ロボットが人類に反旗を翻すというおなじみのテーマをあの手この手で読ませてくれる。

三橋曉
コラムニスト

1位 **大仏ホテルの幽霊** カン・ファギル

2位 **幽霊ホテルからの手紙** 蔡駿

3位 **忘却の河** 蔡駿

4位 **寝煙草の危険** マリアーナ・エンリケス

5位 **夜間旅行者** ユン・ゴウン

6位 **生贄の門** マネル・ロウレイロ

没後五十九年、シャーリイ・ジャクスンの再評価を寿ぎたい。イアン・リードの登場あたりからその気配はあったが、去年はトリビュート・アンソロジー『穏やかな死者たち』を序曲として、ジャクスン本人が登場する『大仏ホテルの幽霊』が降臨、ちなみに共演はゴシック文学の大巨匠だ。さらに秘蹟は続き、今夏には自伝映画「Shirley シャーリイ」も公開予定という。この勢いで、エドガー賞受賞のルース・フランクリンによる評伝の紹介、『野蛮人との生活』の復刊もぜひ。

冬木糸一
書評家

1位 **シャーロック・ホームズとサセックスの海魔** ジェイムズ・ラヴグローヴ

2位 **呪いを解く者** フランシス・ハーディング

3位 **異能機関** スティーヴン・キング

4位 **忘却の河** 蔡駿

5位 **妄想感染体** デイヴィッド・ウェリントン

6位 **フランケンシュタインの工場** エドワード・D・ホック

1は三部作の完結巻にふさわしいスケール感がホラー的にもよかった。2は推理もののように「呪いの原因」を推測していく構成が見事。3は超能力ものの長編で、キング節であっという間にラストまで持っていってくれる。4は輪廻転生が物語に見事に絡んでくる極上のミステリーホラー。5は宇宙船という閉鎖環境内で次々と妄想が広がっていくさまを描いたザ・SFホラー。6は『フランケンシュタイン』＋『そして誰もいなくなった』な長編で、こちらもたいへんおもしろい。

千街晶之
ミステリー評論家

1位 **生贄の門** マネル・ロウレイロ

2位 **大仏ホテルの幽霊** カン・ファギル

3位 **寝煙草の危険** マリアーナ・エンリケス

4位 **幽霊ホテルからの手紙** 蔡駿

5位 **ロンドン幽霊譚傑作集** W・コリンズ他／夏来健次編訳

6位 **奇妙な絵** ジェイソン・レクーラック

「日本よ、これが“因習村”だ」とばかりにスペインから送り込まれてきた1は、クライマックスの迫力といいミステリーとしての仕掛けといい、読みどころには事欠かない。2はある作家の登場シーンがいかにももっともらしいので、途中までてっきり史実のエピソードをもとにしているのかと錯覚した状態で読んだ。二冊邦訳された蔡駿は、ミステリーとしては『忘却の河』のほうが上だが、怪談としては4が印象深い。5はクラシカルながら現代にも通じる味わいのアンソロジー。

古山裕樹
書評家

1位 **奇妙な絵** ジェイソン・レクーラック

2位 **幽霊ホテルからの手紙** 蔡駿

3位 **シャーロック・ホームズとサセックスの海魔** ジェイムズ・ラヴグローヴ

4位 **妄想感染体** デイヴィッド・ウェリントン

5位 **ロンドン幽霊譚傑作集** W・コリンズ他／夏来健次編訳

6位 **生贄の門** マネル・ロウレイロ

絵にやられた。作中の絵が緊張と不穏なイメージを煽る1が忘れがたい。2は「ホラー」と呼ぶべきかどうか少々迷うが、ストーリーのうねりと多層構造が印象深かった。3はパスティーシュ三部作完結編。宇宙的恐怖からはだいぶ離れてしまったものの、細かく素材を詰め込んでいく手際に魅了された。4は詰め込み気味のところが気に入ったＳＦホラー。5は正調怪奇小説集として、6はハリウッド映画風ホラーとして楽しんだ。

狩井善人
HM出版

1位 **生贄の門** マネル・ロウレイロ

2位 **異能機関** スティーヴン・キング

3位 **妄想感染体** デイヴィッド・ウェリントン

4位 **夜間旅行者** ユン・ゴウン

5位 **シャーロック・ホームズとサセックスの海魔** ジェイムズ・ラヴグローヴ

6位 **メアリ・ジキルと囚われのシャーロック・ホームズ** シオドラ・ゴス

最近あんまりホラーを読んでないと思っていたが、案外読んでたね。ジャンルのコアな作品よりも他ジャンルとミックスした作品が多かったせいか。ミステリやＳＦ作品にけっこうホラー要素が豊富で、それだけホラーという手法が一般化してきたってことか。そんななかでも1はいかにもコアなホラーでけっこう怖かった。3も怖さでは特筆ものだったが、残念ながら未完結なので続編を待つ意味でこの順位。逆に5と6はこの作品単体だけではなく長大な三部作完結記念でもある。

阿津川辰海
小説家

1位 **異能機関** スティーヴン・キング

2位 **忘却の河** 蔡駿

3位 **ブラッド・クルーズ** マッツ・ストランベリ

4位 **穏やかな死者たち シャーリイ・ジャクスン・トリビュート** ケリー・リンク他／エレン・ダトロウ編

5位 **寝煙草の危険** マリアーナ・エンリケス

6位 **マリーナ バルセロナの亡霊たち** カルロス・ルイス・サフォン

1～3までが恐怖の帝王とそのフォロワーになった。1はキングがその本領を発揮したフルスロットルホラーで、少年を書く筆の瑞々しさと、敵の怖さが見事に嚙み合う。2は『このミス』でも挙げたが輪廻をテーマにしたホラーサスペンスとしても出色。3はクルーズ×『呪われた町』。群像劇の書き方が好ましい。4は異界と現実の交錯を描いた数人の作が突出していた。5はディティールの書き方がいやらしく、怖い。6は恋愛・青春小説でもあるが、怪奇小説の香気も漂わせる。

宇田川拓也
ときわ書房本店

1位 **吸血鬼ヴァーニー 或いは血の饗宴 第一巻** ジェームズ・マルコム・ライマー＆トマス・ペケット・プレスト

2位 **幽霊ホテルからの手紙** 蔡駿

3位 **穏やかな死者たち シャーリイ・ジャクスン・トリビュート** ケリー・リンク他／エレン・ダトロウ編

4位 **寝煙草の危険** マリアーナ・エンリケス

5位 **生贄の門** マネル・ロウレイロ

6位 **奇妙な絵** ジェイソン・レクーラック

まずは第一巻が出たことを寿ぎたい。これまで伝説の大著として断片的に紹介されるに留まっていた1のことである。長い時間が掛かると思うが、無事完訳を迎えていただきたい。2は華文ミステリを追い掛ける流れで手に取り、木の小箱を幽霊旅館に届けることになる出だしから引き込まれた。3はオマージュというだけでは語り切れない、幻想怪奇を愛する者にとって宝石箱のようなトリビュート集。4と5は近年話題の刺激的で禍々しい魅力にあふれたスパニッシュ・ホラー。

白石朗
翻訳者

1位 **ブラッド・クルーズ**
マッツ・ストランベリ

2位 **生贄の門**
マネル・ロウレイロ

3位 **奇妙な絵**
ジェイソン・レクーラック

4位 **幽霊ホテルからの手紙**
蔡駿

5位 **大仏ホテルの幽霊**
カン・ファギル

6位 **寝煙草の危険**
マリアーナ・エンリケス

クルーズ船という閉鎖空間を舞台に小気味よくエンターテインメント方向にふり切った北欧産のパニックホラーの１も、古典的なホラーの小道具や舞台背景をミステリやサスペンスの枠組に融合させたスペインの２も一気読み。子供が描いたという不気味な絵がうそ寒い恐怖を盛りあげる３もミステリ的な妙味で読ませる。中国と韓国の、いずれもいわくつきのホテルにまつわる怪異譚の４と５はそれぞれの読み応えだ。６は血や臓物の噎《む》せるような匂いが仄かに漂う佳作揃いの短篇集。

株式会社闇
ホラークリエイティブカンパニー

1位 **寝煙草の危険**
マリアーナ・エンリケス

2位 **最後の三角形 ジェフリー・フォード短篇傑作選**
ジェフリー・フォード

3位 **異能機関**
スティーヴン・キング

4位 **迷いの谷 平井呈一怪談翻訳集成**
A・ブラックウッド他

5位 **幽霊ホテルからの手紙**
蔡駿

6位 **妖精・幽霊短編小説集『ダブリナーズ』と異界の住人たち**
J・ジョイス他／下楠昌哉編訳

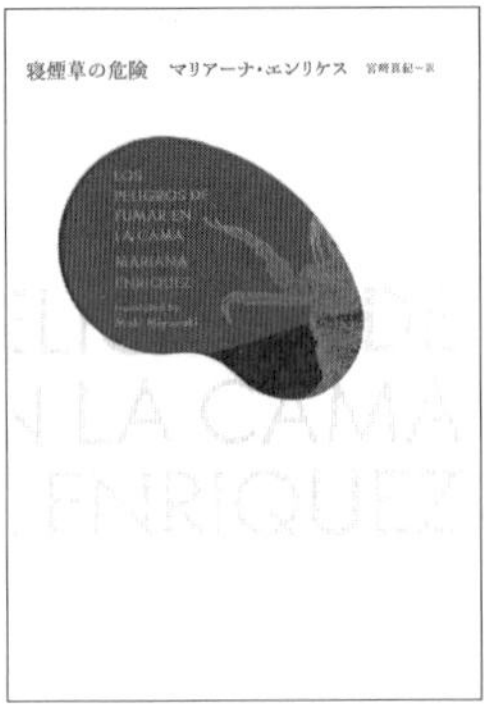

一位、本書の全編に横溢する或る種のエロティシズムは非常に洒脱です。二位、ジェットコースターが加速したと思ったら、全然予想していないところで急停止して降ろされた、みたいな短篇集です。三位、キング一流の暴力と超設定とジュブナイルをたっぷりと楽しめる良作。四位、表題作「迷いの谷」の邦訳は特に素晴らしく、平井訳の技巧を存分に体感できます。五位〜六位もここでは書ききれないくらいの魅力が詰まってます。ぜひみなさんお読みください。

野地嘉文
ミステリ研究家

1位 **大仏ホテルの幽霊** カン・ファギル

2位 **幽霊ホテルからの手紙** 蔡駿

3位 **象られた闇** ローラ・パーセル

4位 **奇妙な絵** ジェイソン・レクーラック

5位 **異能機関** スティーヴン・キング

6位 **寝煙草の危険** マリアーナ・エンリケス

1は朝鮮初の西洋式ホテルにシャーリイ・ジャクスンやエミリー・ブロンテが出現するゴシックスリラー。韓国の「恨」に対する問題提起もあり、多面的な魅力を持つ。2も幽霊ホテルを題材に、スティーヴン・キングの有名作品をリスペクトしつつ、凝った構成のホラーサスペンス。3はヴィクトリア朝の英国を舞台に降霊会での犯人捜し。4は読み進めていくにつれ少年の絵が不気味に変化する恐怖譚。投票用作品リストでは読了本は七六%になった。

笹川吉晴
文芸評論家

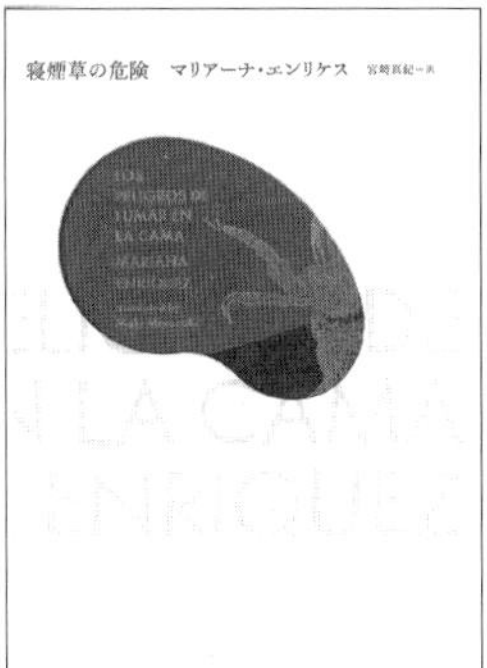

1位 **寝煙草の危険** マリアーナ・エンリケス

2位 **幽霊のはなし** ラッセル・カーク

3位 **異能機関** スティーヴン・キング

4位 **シャーロック・ホームズとミスカトニックの怪** ジェイムズ・ラヴグローヴ

5位 **生贄の門** マネル・ロウレイロ

6位 **オレンジ色の世界** カレン・ラッセル

1は社会が孕む問題と個が抱える不安や疎外感とがさまざまな恐怖へと結晶する。2は古き佳き怪奇小説と殺伐としたモダンホラーとの相克に保守思想家の戦後社会との対峙が重なる。3は加害者も被害者も共に無機質な怪物となって互いに喰らい合う構図が痛ましい。4はパスティーシュのみならず構造レベルからの二つの神話の融合が三部作中最も凝っている。民俗ホラーの5は捻りまで含めてB級臭が愉しい。6はB級ガジェットを心理描写によって奇妙で物悲しい物語に仕立てる。

嵩平何

ミステリ研究家

1位　ロンドン幽霊譚傑作集
W・コリンズ他／夏来健次編訳

2位　カーミラ　レ・ファニュ傑作選
レ・ファニュ

3位　幽霊ホテルからの手紙
蔡駿

4位　森のロマンス
アン・ラドクリフ

5位　大仏ホテルの幽霊
カン・ファギル

6位　迷いの谷　平井呈一怪談翻訳集成
A・ブラックウッド他

1は初訳ばかりの貴重な幽霊譚。2はエンタメ骨法を心得た幽霊譚。3の怪異は常道だが、メタ的な造りが効果的。『忘却の河』も一気読み本。4はホラーとしては冗長だが、現代に通用するエンタメ兼、今のホラー文化に接続する種も興味深い。他にも『吸血鬼ヴァーニー』の完訳始動など、古典ホラーの欠頁が埋まっていく。ゴシックの末裔たる5。6は付録の随筆類も嬉しい。『ドイツ・ヴァンパイア怪縁奇談集』『妖精・幽霊短編小説集』など、良質なアンソロジーにもにんまり。

岡和田晃

文芸評論家・作家

1位　穏やかな死者たち　シャーリイ・ジャクスン・トリビュート
ケリー・リンク他／エレン・ダトロウ編

2位　ドイツ・ヴァンパイア怪縁奇談集
ラウパッハ他／森口大地編訳

3位　フランツ・シュテルンバルトの遍歴
ルートヴィヒ・ティーク

4位　メアリ・ジキルと囚われのシャーロック・ホームズ
シオドラ・ゴス

5位　妖精・幽霊短編小説集　『ダブリナーズ』と異界の住人たち
J・ジョイス他／下楠昌哉編訳

6位　ナイトランド・クォータリー vol.33 人智を超えたものとの契約
「ナイトランド・クォータリー」編集部編

1は、さすが名編集者ダトロウ、文学の現代性に関する選定眼は信頼できる。2は研究者による“埋れ木発掘”の好例で、解説も力作。3は、独ロマン派の精華たる代表長編だが、なぜ未訳だったのか不思議でならない。4は、古典モンスターをイキイキと再生させるフェミニズムSFホラーの完結編。5は、ジョイス研究をひらく試みでもある。創元推理文庫『ロンドン幽霊譚傑作集』との併読も楽しい。6は編集長のため、一冊をこの順位で。アンソロジーのつもりで毎号作っている。

朝宮運河
怪奇幻想ライター

1位 生贄の門 マネル・ロウレイロ

2位 寝煙草の危険 マリアーナ・エンリケス

3位 最後の三角形 ジェフリー・フォード短篇傑作選 ジェフリー・フォード

4位 異能機関 スティーヴン・キング

5位 幽霊ホテルからの手紙 蔡駿

6位 穏やかな死者たち シャーリイ・ジャクスン・トリビュート ケリー・リンク他／エレン・ダトロウ編

久々に王道のモダンホラーを読んだという満足感を味わえたのが１。伝奇的趣向で超自然の怪異を力強く描く。ゴシックな想像力で閉塞感に満ちた現実を転覆させる２、きらめく文章と着想で非現実の王国を垣間見せた３は短編集の収穫。４は超能力もの。こうした話を面白く書けるのはやはりキングなのだと再認識。５は翻訳されたことが嬉しい堂々たる幽霊屋敷小説で、現代華文ホラーの一端に触れられる。現代の幻想派勢揃いの６は企画も収録作も翻訳も◎。

野村恒彦
古書店主

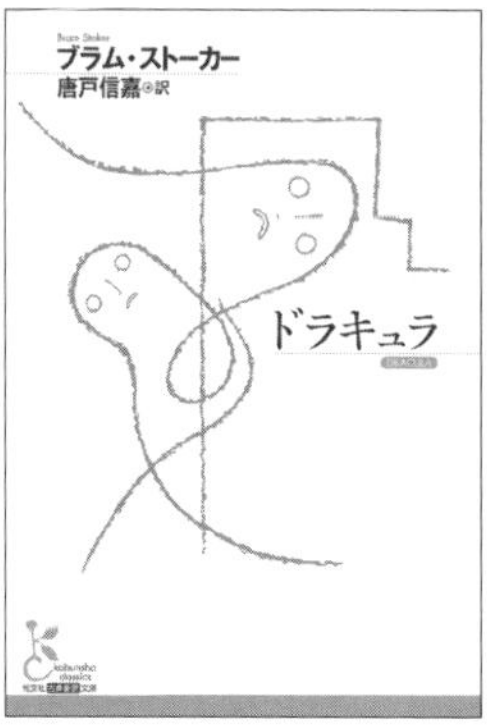

1位 ドラキュラ ブラム・ストーカー

2位 迷いの谷 平井呈一怪談翻訳集成 A・ブラックウッド他

3位 トランペット ウォルター・デ・ラ・メア

4位 死霊の恋／化身 ゴーティエ恋愛奇譚集 テオフィル・ゴーティエ

5位 幻想と怪奇14 ロンドン怪奇小説傑作選 『幻想と怪奇』編集室

6位 ロンドン幽霊譚傑作集 W・コリンズ他／夏来健次編訳

国内作品と同様に翻訳作品の方も古い作品が中心となっている。西洋の怪談の舞台としてふさわしいのは、やはり倫敦だろう。倫敦は小学生の頃から憧れた街で、自分の好みのすべてがこの街に集まっているような気がするのだ。街の地図を見ても、街並みが思い出されるのは、既に数回訪れたことがあるからだろう。倫敦が舞台となれば、自然に点数が高くなるのは何の不思議もないことなのである。まだ紹介されていない作品が数多くあると思うので、それらの翻訳を切に希望します。

佐竹裕
コラムニスト

1位 夜間旅行者 ユン・ゴウン

2位 異能機関 スティーヴン・キング

3位 ブラッド・クルーズ マッツ・ストランベリ

4位 寝煙草の危険 マリアーナ・エンリケス

5位 奇妙な絵 ジェイソン・レクーラック

6位 忘却の河 蔡駿

何といっても、つねにトップの座に君臨しモダンホラー界を牽引して来たスティーヴン・キング、やはりさすがです。が、自由な発想でいまだ見たことのない形の恐怖を見せてくれた韓国ホラーを評価して、1に。ゾンビか吸血鬼かはともかく、閉鎖状況でのパニック状態はお決まりの設定ですが、北欧ホラーの3もスピード感溢れた仕上がりだったかと。風間賢二氏いわく〈フォーク・ホラー〉の傑作として『生贄の門』を入れたいところですが、刊行に関わったので、今回は遠慮して。

佐々木敦
思考家／批評家／文筆家

1位 幽霊ホテルからの手紙 蔡駿

2位 大仏ホテルの幽霊 カン ファギル

3位 寝煙草の危険 マリアーナ・エンリケス

4位 奇妙な絵 ジェイソン・レクーラック

5位 生贄の門 マネル・ロウレイロ

6位 穏やかな死者たち シャーリイ・ジャクスン・トリビュート ケリー・リンク他／エレン・ダトロウ編

一位の蔡駿が中国、二位のファギルが韓国、三位のエンリケスと五位のロウレイロがスペインと、米英以外の作家が大半を占める結果になった。ミステリやスリラーもそうだが、米英のホラーは良くも悪くもかなりパターン化、お約束化されていて、そうしないと売れないのだろうが、他国の作家たちの色んな意味で掟破りの作風を新鮮に感じるということかもしれない。蔡駿は『忘却の河』も良かった。ちなみに『大仏ホテルの幽霊』にはシャーリイ・ジャクスンが登場します。

杉江松恋
書評家

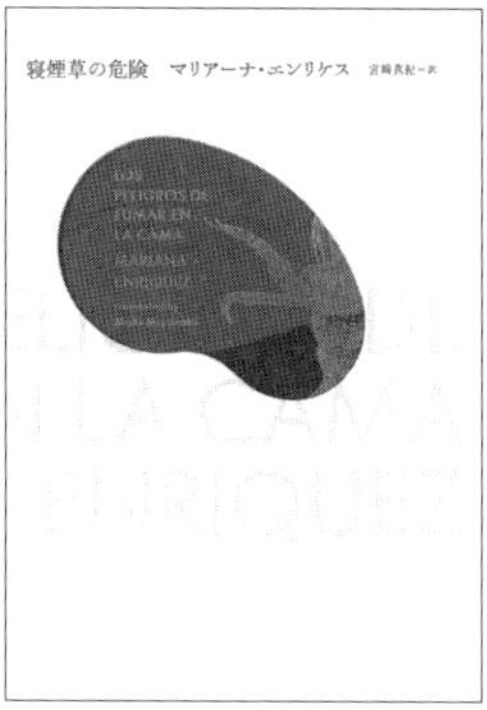

1位 寝煙草の危険 マリアーナ・エンリケス

2位 最後の三角形 ジェフリー・フォード短篇傑作選 ジェフリー・フォード

3位 呪いを解く者 フランシス・ハーディング

4位 大仏ホテルの幽霊 カン・ファギル

5位 九月と七月の姉妹 デイジー・ジョンソン

6位 穏やかな死者たち シャーリイ・ジャクスン・トリビュート ケリー・リンク他／エレン・ダトロウ編

一～三位はほとんど同着です。１は最近注目度が高まっているスパニッシュ・ホラー短編集で土着的なものと現代性との融合が実に見事です。２は世界最高峰の幻想作家の、日本独自編纂作品集。奇想に塗《まみ》れたい方にお薦めで、さまざまな感情の混合物がこみあげてくるので一気読みをすると危険です。３はこれまた世界最高峰のＹＡ作家によるホラー版ビルドゥング・ストーリー。４は韓国作家の新鋭、５はニューロティックスリラーの収穫、６はご機嫌なアンソロジーで、どれも必読。

日下三蔵
ミステリ研究家

1位 新編 怪奇幻想の文学3 恐怖 紀田順一郎、荒俣宏監修／牧原勝志編

2位 迷いの谷 平井呈一怪談翻訳集成 A・ブラックウッド他

3位 ロバート・アーサー自選傑作集 幽霊を信じますか？ ロバート・アーリー

4位 生贄の門 マネル・ロウレイロ

5位 異能機関 スティーヴン・キング

6位 吸血鬼ヴァーニー 或いは血の饗宴 第一巻 ジェームズ・マルコム・ライマー＆トマス・ペケット・プレスト

翻訳に関しては、やはり目利きのアンソロジスト、編集者、翻訳家による企画に注目していきたい。中でも往年の名アンソロジーをリニューアルした１は、いま一番楽しみなシリーズだ。

２は名作の翻訳だけでなく、評論やエッセイまで配した丁寧な編集がありがたい。３はミステリ短篇集『ガラスの橋』で技巧派ぶりを見せつけた著者の怪奇幻想作品集。こちらも巧い。

６を含む《奇想天外の本棚》はホラーに特化したシリーズではないが、怪奇党も要注目だ。

風間賢二
翻訳家・怪奇幻想小説研究家

1位 **異能機関** スティーヴン・キング

2位 **妄想感染体** デイヴィッド・ウェリントン

3位 **幽霊ホテルからの手紙** 蔡駿

4位 **生贄の門** マネル・ロウレイロ

5位 **寝煙草の危険** マリアーナ・エンリケス

6位 **穏やかな死者たち シャーリイ・ジャクスン・トリビュート** ケリー・リンク他／エレン・ダトロウ編

1はもはや別格。2の著者はアポカリプス・ゾンビものの名手なのでパンデミックは十八番だ。話のテンポが絶妙なＳＦホラー。3は〈中国のスティーヴン・キング〉と称される人気作家の初期代表作。4は〈スペインのスティーヴン・キング〉と謳われる作者のホラー・ミステリーだが、作風はディーン・クーンツより。5はボルヘスやコルタサルが好きな人向けのゴシック風味のラテアメ文学。6は英米の最新モダンホラー作家のショーケースとしてお得なアンソロジー。

斜線堂有紀
小説家

1位 **寝煙草の危険** マリアーナ・エンリケス

2位 **オレンジ色の世界** カレン・ラッセル

3位 **妄想感染体** デイヴィッド・ウェリントン

4位 **最後の三角形 ジェフリー・フォード短篇傑作選** ジェフリー・フォード

5位 **異能機関** スティーヴン・キング

6位 **九月と七月の姉妹** デイジー・ジョンソン

1、人間の根源的な恐怖を呼び起こすような展開が、叙情的な筆致で綴られる全てにおいて最高のホラー短篇集。2、日常にするりと入り込む異界を描いた短篇集。すぐ傍にある危険は警告されることがなく、容易く人生を破壊し尽くしてしまう。3、感染系ホラーとして王道かつ新機軸の恐怖を生み出した作品。この致死性のウイルスの掘り下げ方がユニークで、これでまだ三部作の一作目であることに末恐ろしさを感じさせる。

北原尚彦
作家・翻訳家

1位 **幽霊ホテルからの手紙** 蔡駿

2位 **寝煙草の危険** マリアーナ・エンリケス

3位 **ロンドン幽霊譚傑作集** W・コリンズ他／夏来健次編訳

4位 **ロバート・アーサー自選傑作集 幽霊を信じますか?** ロバート・アーサー

5位 **シャーロック・ホームズとミスカトニックの怪** ジェイムズ・ラヴグローヴ

6位 **穏やかな死者たち シャーリイ・ジャクスン・トリビュート** ケリー・リンク他／エレン・ダトロウ編

１は中国ならではの雰囲気たっぷり。「中国のスティーヴン・キング」という惹句は伊達じゃない。２はスパニッシュ・ホラー短篇集。やはり英米とは味わいが違う。３はシャーロック・ホームズの時代の幽霊小説集。一つ一つが珠玉。４は日本でも再評価の進む短篇巧者の作品集。ミステリ作家でもあるのでトリッキーな話も。５はシャーロック・ホームズとクトゥルー神話との混ぜ合わせ具合が絶妙。６はトリビュート集ながら各作家の独自性も。以上、特に短篇好きに嬉しい年でした。

もっと知りたい！

「ＳＣＰ財団」とは

顔を見た人間を猛スピードで追いかけて殺してしまう、腕が異様に長い人型生物「シャイガイ」（※１）。

水やコーヒーなどの一般的な飲料だけでなく、ガソリンや（液体化した）金、動物や人間の血液まで。液体であればなんでも出力できる自動販売機（※２）。

それら、現代科学では説明できない異常存在を確保（Secure）・収容（Contain）・保護（Protect）し、民間人の平和を守るのがＳＣＰ財団の役割である。異常存在について財団職員がまとめた報告書は、財団のwebサイトに掲載され誰でも閲覧することができる。

――という世界観のもと、世界中のクリエイターが、自身の創作した異常存在についてを、報告書の形式で投稿することができるwebサイトが「ＳＣＰ財団」である。テキストだけでなく、画像や音声データを掲載することができるため、読者に幅広いアプローチが可能。

民家から発見されたビデオテープについての報告『けりよ』（※３）と、それに付随する『しんに』（※４）は、梨作品の中でも屈指の怖さを誇る。

※1 **SCP-096**
http://scp-jp.wikidot.com/scp-096

※2 **SCP-294**
http://scp-jp.wikidot.com/scp-294

※3 **SCP-511-JP『けりよ』**
http://scp-jp.wikidot.com/scp-511-jp

※4 **Tale-JP『しんに』**
http://scp-jp.wikidot.com/sinni

2023.4 → 2024.3

Horror Book List

リスト作成＝朝宮運河

国内編

刊行年月	著者・編者・監修	タイトル	版元
2023.4	菊地秀行	D－暁影魔団　吸血鬼ハンター	朝日文庫
	八杉将司	八杉将司短編集　ハルシネーション	SFユースティティア
	和田正雪	夜道を歩く時、彼女が隣にいる気がしてならない	KADOKAWA
	五十嵐律人	魔女の原罪	文藝春秋
	煙鳥／高田公太／吉田悠軌	煙鳥怪奇録 足を喰らう女	竹書房怪談文庫
2023.5	杉村修	クトゥルフと夢の国	ツーワンライフ
	井上雅彦監修	ヴァケーション 異形コレクションLV	光文社文庫
	やしろ慧	鬼狩り神社の守り姫	富士見L文庫
	知念実希人	ヨモツイクサ	双葉社
	西尾維新	戦物語	講談社
	川奈まり子	眠れなくなる怪談沼　実話四谷怪談	講談社
	新名智	きみはサイコロを振らない	KADOKAWA
	恩田陸	鈍色幻視行	集英社
	若本衣織	忌狩怪談　闇路	竹書房怪談文庫
	いながききよたか	忌怪島　小説版	竹書房文庫
	久永実木彦	わたしたちの怪獣	東京創元社
2023.6	水川清子	夜と月の呪祓師　異聞深川七不思議	猿江商會
	柊サナカ他	名著奇変	飛鳥新社
	三津田信三	歩く亡者　怪民研に於ける記録と推理	KADOKAWA
	硝子町玻璃	出雲のあやかしホテルに就職します14	双葉文庫
	『幻想と怪奇』編集室編	幻想と怪奇　ショートショート・カーニヴァル	新紀元社
	蒼月海里	戸張と御子柴　孤島の夜の黄泉還り	KADOKAWA
	綾里けいし	夜獣使い　黒き鏡	ハヤカワ文庫JA
	嶺里俊介	昭和怪談	光文社
	三津田信三編著	七人怪談	KADOKAWA
	藤白圭	私の心臓は誰のもの	河出書房新社
	山白朝子	小説家と夜の境界	KADOKAWA
	梨	6	玄光社

刊行年月	著者・編者・監修	タイトル	版元
	服部独美	祈りの島　教皇庁の使者	国書刊行会
	恩田陸	夜果つるところ	集英社
	ギンティ小林	ばちあたり怪談	二見文庫
	澤村伊智	一寸先の闇　澤村伊智怪談掌編集	宝島社
	総合探偵社ガルエージェンシー編	探偵怪談:探偵が実際に調査した 人間にまつわる42の怖い話	彩図社
	織守きょうや	彼女はそこにいる	KADOKAWA
2023.7	倉阪鬼一郎	忌まわしい場所	アドレナライズ　電子書籍オリジナル
	蒼月海里	怪談都市ヨモツヒラサカ	PHP文芸文庫
	渡辺浩弐	中野ブロードウェイ怪談	星海社
	小田雅久仁	禍	新潮社
	菊地秀行	魔界都市ブルース　媚獣妃	祥伝社ノン・ノベル
	貴志祐介	梅雨物語	KADOKAWA
	嗣人	夜行堂奇譚　参	産業編集センター
	竹村優希	丸の内で就職したら、幽霊物件担当でした。14	角川文庫
	瀬川貴次	ばけもの厭ふ中将　戦慄の紫式部	集英社文庫
	大島清昭	最恐の幽霊屋敷	KADOKAWA
	木古おうみ	領怪神犯2	角川文庫
	榎田ユウリ	妖琦庵夜話10　千の波 万の波	角川ホラー文庫
	櫛木理宇	ホーンテッド・キャンパス21　黒い影が揺れる	角川ホラー文庫
	高原英理	祝福	河出書房新社
	宮部みゆき	青瓜不動　三島屋変調百物語九之続	KADOKAWA
	相川英輔	黄金蝶を追って	竹書房文庫
	村雲菜月	もぬけの考察	講談社
2023.8	川野芽生	奇病庭園	文藝春秋
	東亮太	夜行奇談	KADOKAWA
	峰守ひろかず	少年泉鏡花の明治奇談録	ポプラ文庫ピュアフル
	赤川次郎	死者の試写会へようこそ　怪異名所巡り	集英社
	新馬場新	沈没船で眠りたい	双葉社
	平谷美樹	賢治と妖精琥珀	集英社文庫
	最東対地	花怪壇	光文社
	竹林七草	彼女の隣で、今夜も死人の夢を見る	角川文庫
	藤木稟	バチカン奇跡調査官24　聖剣の預言	角川ホラー文庫
	岩井志麻子	色慾奇譚	ジーウォーク紅文庫
	カムリ	めんとりさま Faceless Summer	メディアワークス文庫
	泉鏡花	龍潭譚／白鬼女物語　鏡花怪異小品集	平凡社ライブラリー
	背筋	近畿地方のある場所について	KADOKAWA
2023.9	三上延	百鬼園事件帖	KADOKAWA
	飯野文彦	甲府物語　飯野文彦異色幻想短編集	SFユースティティア

国内編

電子書籍オリジナル

刊行年月	著者・編者・監修	タイトル	版元
	神津凛子	オイサメサン	講談社
	佐月実	ミナヅキトウカの思考実験	産業編集センター
	斜線堂有紀	本の背骨が最後に残る	光文社
	芦花公園	宇宙の家	U-NEXT
	今村昌弘	でぃすぺる	文藝春秋
	霜月りつ	帝都ハイカラ探偵帖 少年探偵ダイアモンドは怪異を謎解く	マイナビ出版ファン文庫
	竹村優希	大正幽霊アパート鳳銘館の新米管理人6	角川文庫
	高原英理他	水都眩光　幻想短篇アンソロジー	文藝春秋
	原浩	蜘蛛の牢より落つるもの	KADOKAWA
	白井智之	エレファントヘッド	KADOKAWA
	蛙坂須美	怪談六道　ねむり地獄	竹書房怪談文庫
2023.10	NHK「業界怪談 中の人だけ知っている」制作班・編	業界怪談　中の人だけ知っている	NHK出版
	内藤了	迷塚　警視庁異能処理班ミカヅチ	講談社タイガ
	手代木正太郎	涜神館殺人事件	星海社
	似鳥鶏	唐木田探偵社の物理的対応	KADOKAWA
	阿泉来堂	バベルの古書 猟奇犯罪プロファイル Book 1　変身	角川ホラー文庫
	阿泉来堂	バベルの古書 猟奇犯罪プロファイル Book 2　怪物	角川ホラー文庫
	橘しづき	ただいま、憑かれています。	角川文庫
	株式会社闇編著	ジャンル特化型ホラーの扉 八つの恐怖の物語	河出書房新社
	泉鏡花、東雅夫編	外科室・天守物語	新潮文庫
	長江俊和	掲載禁止　撮影現場	新潮文庫
2023.11	芦花公園	食べると死ぬ花	新潮社
	北沢陶	をんごく	KADOKAWA
	竹村優希	その霊、幻覚です。 視える臨床心理士・泉宮一華の嘘2	文春文庫
	井上雅彦監修	乗物綺談　異形コレクションLVI	光文社文庫
	瀬川貴次	暗夜鬼譚　綺羅星群舞	集英社文庫
	朱雀門出	第八脳釘怪談	
	道尾秀介	きこえる	講談社
	小林泰三他	日本ホラー小説大賞《短編賞》集成1	角川ホラー文庫
	鈴木捧	現代奇譚集　エニグマをひらいて	
2023.12	曽根圭介他	日本ホラー小説大賞《短編賞》集成2	角川ホラー文庫
	江戸川乱歩、けんご	小説紹介クリエイターけんご　江戸川乱歩傑作選	blueprint
	山口恵以子	とり天で喝！ゆうれい居酒屋	文春文庫
	長野まゆみ、桑原弘明	湖畔地図製作社	国書刊行会
	上田早夕里	播磨国妖綺譚　伊佐々王の記	文藝春秋
	沖田円	怪異相談処　がらくた堂奇譚2	実業之日本社文庫
	湊かなえ	人間標本	KADOKAWA
	輪渡颯介	闇試し　古道具屋皆塵堂	講談社文庫

刊行年月	著者・編者・監修	タイトル	版元
	雨穴	変な家2　11の間取り図	飛鳥新社
	瀬川貴次	もののけ寺の白菊丸	集英社オレンジ文庫
	岩井圭也	暗い引力	光文社
	北里紗月	赫き女王　Red Alveolata Queen	光文社
	尾八原ジュージ	みんなこわい話が大すき	KADOKAWA
	饗庭淵	対怪異アンドロイド開発研究室	KADOKAWA
	綾辻行人他著、朝宮運河編	影牢　現代ホラー小説傑作集	角川ホラー文庫
	小野不由美他著、朝宮運河編	七つのカップ　現代ホラー小説傑作集	角川ホラー文庫
	皆藤黒助	事故物件探偵　建築士・天木悟の執心	角川文庫
	宇能鴻一郎	アルマジロの手　宇能鴻一郎傑作短編集	新潮文庫
	泉鏡花著、長山靖生編	処方秘箋　泉鏡花幻妖美譚傑作集	小鳥遊書房
2024.1	甲田学人	ほうかごがかり	電撃文庫
	硝子町玻璃	出雲のあやかしホテルに就職します15	双葉文庫
	卯月みか	京都大正サトリ奇譚　モノノケの頭領と同居します	PHP文芸文庫
	古宮九時	不可逆怪異をあなたと2　床辻奇譚	電撃文庫
	井上荒野	錠剤F	集英社
	五十嵐貴久	バイター	光文社文庫
	木古おうみ著、x0o0x_原作	きさらぎ異聞 NoVelize　〜猿夢・くねくね〜	HOWLノベルス
	内田英治	マッチング	角川ホラー文庫
	竹村優希	丸の内で就職したら、幽霊物件担当でした。15	角川文庫
	三浦晴海	歪つ火	角川ホラー文庫
	嗣人	夜行堂奇譚　肆	産業編集センター
	梨	自由慄	太田出版
	藤白圭	異形見聞録	PHP研究所
	佐藤正午	冬に子供が生まれる	小学館
	芦辺拓／江戸川乱歩	乱歩殺人事件――「悪霊」ふたたび	KADOKAWA
	恩田陸	夜明けの花園	講談社
2024.2	根占桐守	ルール・ブルー　異形の祓い屋と魔を喰う殺し屋	角川ビーンズ文庫
	阿泉来堂	死人の口入れ屋	ポプラ文庫
	彩坂美月	double　〜彼岸荘の殺人〜	文春文庫
	菊地秀行	D―魔王谷妖闘記　吸血鬼ハンター	朝日文庫
	甲田学人	ほうかごがかり2	電撃文庫
	やしろ慧	鬼狩り神社の守り姫　二	富士見L文庫
	白目黒	美大生・月浪縁の怪談	富士見L文庫
	滝川さり	ゆうずどの結末	角川ホラー文庫
	fudaraku	竜胆の乙女　わたしの中で永久に光る	メディアワークス文庫
2024.3	にかいどう青	雪代教授の怪異学　魔を視る青年と六角屋敷の謎	ポプラ文庫ピュアフル
	峰守ひろかず	少年泉鏡花の明治奇談録2　城下のあやかし	ポプラ文庫ピュアフル

刊行年月	著者・編者・監修	タイトル	版元
	武内涼	あらごと、わごと　呪師開眼	徳間時代小説文庫
	堀川アサコ	殿の幽便配達　幻想郵便局短編集	講談社文庫
	黒木あるじ	春のたましい　神祓いの記	光文社
	魚崎依知子	夫恋殺　つまごいごろし	KADOKAWA
	竹村優希	大正幽霊アパート鳳銘館の新米管理人7	角川文庫
	桜川ヒロ	神祇庁の陰陽師・凪の事件帖 魔が差したら鬼になります	角川文庫
	澤村伊智	すみせごの贄	角川ホラー文庫
	芦花公園	極楽に至る忌門	角川ホラー文庫
	神永学	マガツキ	PHP研究所
	春海水亭	致死率十割怪談	KADOKAWA
	黒史郎著、エクスペリエンス原作	NG	PHP研究所

海外編

刊行年月	著者・編者・監修	タイトル	訳者	版元
2023.4	ジェームズ・マルコム・ライマー& トマス・ペケット・プレスト	吸血鬼ヴァーニー　或いは血の饗宴　第一巻	三浦玲子、 森沢くみ子	国書刊行会
	蔡駿	幽霊ホテルからの手紙	舩山むつみ	文藝春秋
	紀田順一郎、荒俣宏監修	新編怪奇幻想の文学3　恐怖		新紀元社
2023.5		ナイトランド・クォータリー vol.32 未知なる領域へ テラ・インコグニタ		書苑新社
	マリアーナ・エンリケス	寝煙草の危険	宮﨑真紀	国書刊行会
	カレン・ラッセル	オレンジ色の世界	松田青子	河出書房 新社
	A・ブラックウッド、他	迷いの谷　平井呈一怪談翻訳集成	平井呈一	創元推理 文庫
2023.6	D・H・ウィルソン&J・J・アダムズ編	ロボット・アップライジング　AIロボット反乱SF傑作選	中原尚哉他	創元SF 文庫
	エドワード・D・ホック	フランケンシュタインの工場	宮澤洋司	国書刊行会
	ラモン・デル・バリェ=インクラン	暗い庭 聖人と亡霊、魔物と盗賊の物語	花方寿行	国書刊行会
	ウォルター・デ・ラ・メア	トランペット	和爾桃子	白水 Uブックス
	スティーヴン・キング	異能機関	白石朗	文藝春秋
	蔡駿	忘却の河	高野優、 坂田雪子	竹書房文庫
	デイジー・ジョンソン	九月と七月の姉妹	市田泉	東京創元社
2023.7	ジェイムズ・ラヴグローヴ	シャーロック・ホームズとミスカトニックの怪	日暮雅通	ハヤカワ 文庫FT
	J・ジョイス他	妖精・幽霊短編小説集 『ダブリナーズ』と異界の住人たち	下楠昌哉 編訳	平凡社 ライブラリー
	ヨハン・アウグスト・アーペル、他	幽霊綺譚　ドイツ・ロマン派幻想短篇集	識名章喜	国書刊行会
2023.8	テオフィル・ゴーティエ	死霊の恋／化身　ゴーティエ恋愛奇譚集	永田千奈	光文社古典 新訳文庫
	マッツ・ストランベリ	ブラッド・クルーズ	北綾子	ハヤカワ 文庫NV
	ルートヴィヒ・ティーク	フランツ・シュテルンバルトの遍歴	片山耕二郎	国書刊行会
		ナイトランド・クォータリー vol.33 人智を超えたものとの契約		書苑新社
	ジェフリー・フォード	最後の三角形　ジェフリー・フォード短篇傑作選	谷垣暁美 編訳	東京創元社

刊行年月	著者・編者・監修	タイトル	訳者	版元
2023.9	紀田順一郎、荒俣宏監修	新編怪奇幻想の文学 4　黒魔術		新紀元社
	ホセ・ドノソ	閉ざされた扉——ホセ・ドノソ全短編	寺尾隆吉	水声社
	ザキヤ・ダリラ・ハリス	となりのブラックガール	岩瀬徳子	早川書房
2023.10	ユン・ゴウン	夜間旅行者	カン・バンファ	早川書房
	エレン・ダトロウ編	穏やかな死者たち　シャーリイ・ジャクスン・トリビュート	渡辺庸子他	創元推理文庫
		幻想と怪奇14　ロンドン怪奇小説傑作選		新紀元社
	ブラム・ストーカー	ドラキュラ	唐戸信嘉	光文社古典新訳文庫
2023.11	アン・ラドクリフ	森のロマンス	三馬志伸	作品社
	ジェイムズ・ラヴグローヴ	シャーロック・ホームズとサセックスの海魔	日暮雅通	ハヤカワ文庫FT
	カン・ファギル	大仏ホテルの幽霊	小山内園子	白水社
	ジェイソン・レクーラック	奇妙な絵	中谷友紀子	早川書房
	マルセル・シュオップ	夢の扉　マルセル・シュオップ名作名訳集	澁澤龍彥他	国書刊行会
	フランシス・ハーディング	呪いを解く者	児玉敦子	東京創元社
	マネル・ロウレイロ	生贄の門	宮﨑真紀	新潮文庫
2023.12	ジョーン・エイキン	お城の人々	三辺律子	東京創元社
	レ・ファニュ	カーミラ　レ・ファニュ傑作選	南條竹則	光文社古典新訳文庫
	ルーシー・ウッド	潜水鐘に乗って	木下淳子	東京創元社
		ナイトランド・クォータリーvol.34 対なるものへの畏怖～双生児あるいは半神		書苑新社
	シオドラ・ゴス	メアリ・ジキルと囚われのシャーロック・ホームズ	鈴木潤	新☆ハヤカワ・SF・シリーズ
	ノーラ・ロバーツ	愛と精霊の館	香山栞	扶桑社ロマンス
	キャサリン・ライアン・ハワード	ナッシング・マン	髙山祥子	新潮文庫
2024.1	デイヴィッド・ウェリントン	妄想感染体	中原尚哉	ハヤカワ文庫SF
	ラウパッハ、シュピンドラー他	ドイツ・ヴァンパイア怪縁奇談集	森口大地編訳	幻戯書房
2024.2		幻想と怪奇15　霊魂の不滅		新紀元社
	ローラ・パ　セル	象られた闇	国弘喜美代	早川書房
	ラッセル・カーク	幽霊のはなし	横手拓治	彩流社
	W・コリンズ、E・ネズビット他	ロンドン幽霊譚傑作集	夏来健次編訳	創元推理文庫
2024.3	カルロス・ルイス・サフォン	マリーナ　バルセロナの亡霊たち	木村裕美	集英社文庫
	ロバート・アーサー	ロバート・アーサー自選傑作集　幽霊を信じますか?	小林晋	扶桑社

1200万円

【原稿送付先】 〒102-8388　東京都千代田区一番町25番地　宝島社
『このミステリーがすごい！』大賞　事務局
※書留郵便・宅配便にて受付

【締　　切】 2025年5月31日(当日消印有効)厳守

【賞と賞金】 大賞 1200万円　文庫グランプリ 200万円

【選考委員】 大森望氏、香山二三郎氏、瀧井朝世氏

【選考方法】 選考過程をインターネット上で公開し、密室で選考されているイメージを払拭した新しい形の選考を行ないます。

【発　　表】 選考・選定過程と結果はインターネット上で発表
https://konomys.jp

2025年8月　1次選考 作品の推薦コメントと作品冒頭をネット上にUP
→ 8月　2次選考
→ 9月　最終選考
→ 10月　大賞発表予定
→ 2026年1月　大賞刊行予定

【出　　版】 受賞作は宝島社より刊行されます(刊行に際し、原稿指導等を行なう場合もあります)

【権　　利】 〈出版権〉
出版権および雑誌掲載権は宝島社に帰属し、出版時には印税が支払われます
〈二次使用権〉
映像化権をはじめ、二次利用に関するすべての権利は主催者に帰属します
権利料は賞金に含まれます
※ドラマ化に際し、翻案する場合もあります

【注意事項】 ○応募原稿は未発表のものに限ります。二重投稿は失格にいたします
○応募原稿・書類等は返却しません。テキストデータは保存しておいてください
○応募された原稿に関する問い合わせには応じられません
○受賞された際には、新聞やTV取材などのPR活動にご協力いただきます

【問い合わせ】 電話・手紙等でのお問い合わせは、ご遠慮ください
下記URLのなかの第24回『このミステリーがすごい！』大賞　募集要項をご参照ください

https://konomys.jp

ご応募いただいた個人情報は、本賞のためのみに使われ、他の目的では利用されません
また、ご本人の同意なく弊社外部に出ることはありません

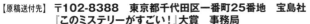

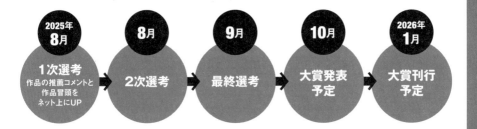

このミステリーがすごい!

大賞賞金

第24回『このミステリーがすごい!』大賞

募集要項

○本大賞創設の意図は、面白い作品・新しい才能を発掘・育成する新しいシステムを構築することにあります。ミステリー&エンターテインメントの分野で渾身の一作を世に問いたいという人や、自分の作品に関して書評家からアドバイスを受けてみたいという人を、インターネットを通して読者・書評家・編集者と結びつけるのが、この賞です。
○『このミステリーがすごい!』など書評界で活躍する著名書評家が、読者の立場に立ち候補作を絞り込むため、いま読者が読みたい作品、関心をもつテーマが、いち早く明らかになり、作家志望者の参考になるのでは、と考えています。また1次選考に残れば、書評家の推薦コメントとともに作品の冒頭部分がネット上にアップされ、読者の感想およびプロの意見を知ることができます。これも、作家をめざす皆さんの励みになるのではないでしょうか。

【主　催】**株式会社宝島社**

【募集対象】**エンターテインメントを第一義の目的とした広義のミステリー**
『このミステリーがすごい!』エントリー作品に準拠、ホラー的要素の強い小説やSF的設定をもつ小説でも、斬新な発想や社会性および現代性に富んだ作品であればOKです。
また時代小説であっても、冒険小説的興味を多分に含んだ作品であれば、その設定は問いません。

【原稿規定】**❶40字×40行で100枚~163枚の原稿**(枚数厳守・両面印刷不可・手書き原稿不可)
○タテ組40字×40行でページ設定し、通しノンブルを入れる
○マス目・罫線のないA4サイズの紙を横長使用し、片面にプリントアウトする
○A4用紙を横に使用、縦書という設定で書いてください
○原稿の巻頭にタイトル・筆名(本名も可)を記す
○原稿がバラバラにならないように右側をダブルクリップで綴じる
※原稿にはカバーを付けないでください
　また、送付後、手直しした同作品を再度、送らないでください(よくチェックしてから送付してください)

❷1600字程度の梗概1枚(❶に綴じない)
○タテ組40字詰めでページ設定し、必ず1枚にプリントアウトする
○マス目・罫線のないA4サイズの紙を横長使用しプリントアウトする
○巻頭にタイトル・筆名(本名も可)を記す

❸応募書類(❶に綴じない)
ヨコ組で以下を明記した書類を添付(A4サイズの紙を縦長使用)
①タイトル　②筆名もしくは本名　③住所　④氏名　⑤連絡先(電話番号・E-MAILアドレス併記)
⑥生年月日・年齢　⑦職業と略歴　⑧応募に際しご覧になった媒体名　⑨好きな作家・作品(複数回答可)
⑩1年以内に購入して面白かった本(複数回答可)　⑪応募原稿の売り文句(30字以内)

※❶❷に関しては、1次選考を通った作品はテキストデータも必要となりますので(原稿は手書き不可、E-mailなどで送付)、テキストデータは保存しておいてください(1次選考の結果は【進行情報】の項を参照)。最初の応募にはデータの送付は必要ありません

編集後記

間取り図を組み込んで一つの作品に仕立て上げた『変な家』、バラエティーの体をとったテレビ番組「テレビ放送開始69年！　このテープもってないですか？」（BSテレビ東京）、大量の怪文書の繋がりを来場者に考察させる展覧会「その怪文書を読みましたか」など。今までにない試みが次々と成功し、目を離せないコンテンツが続出しているのが、今のホラージャンルです。

　ブームを象徴するようなモキュメンタリー・ホラー「近畿地方のある場所について」が大きく盛り上がったタイミングでこのようなランキング本を発行できたこと、本当にうれしく思います。企画段階から相談に乗ってもらい、全面的にバックアップしてくださった朝宮運河さん、ブームの立役者として表紙を飾ってくださった雨穴さん。取材や鼎談にご協力いただいたみなさま、ご寄稿・ご投票くださったみなさま、デザイン・校正・編集で協力してくれた『このミス』チーム、そして何より、いなくなってしまった彼女に、感謝してもしきれません。

　ファンタジーやSFに近い作品、国内に劣らない勢いを見せる海外作品、今振り返っても怖い名作古典作品など。昨今のモキュメンタリー・ホラーだけでなく、さまざまな「面白い」ホラーを幅広く紹介しましたので、読者のみなさまにはぜひ、楽しんでいただければと思います。そしてどうか、ときどき彼女のことを思い出してやってください。思えば、彼女も怖いはなしが大好きな女の子でした。お化けが怖いと言って泣くくせに、次の日にはその話が読みたいと言ってせがむのです。私が怖い本のページをめくるとき、怖い映像作品をテレビで見るとき、気づけば彼女は私の肩越しに、それらを読んで、見て、夢中になっていました。私が酷いことをして、彼女はいなくなってしまいました。でも、きっとまだ、怖いはなしが大好きなはずです。だからきっと、みなさまが怖い話を読むとき、見るとき。彼女もきっと、あなたのそばにいるはずです。（梅）

このホラーがすごい！
2024年版

2024年6月27日　第1刷発行

編　者……『このミステリーがすごい！』編集部
発行人……関川誠
発行所……株式会社宝島社

〒102-8388
東京都千代田区一番町25番地
電話（営業）03-3234-4621
（編集）03-3239-0599
https://tkj.jp

印刷・製本……サンケイ総合印刷株式会社

落丁・乱丁本はお取り替えいたします。

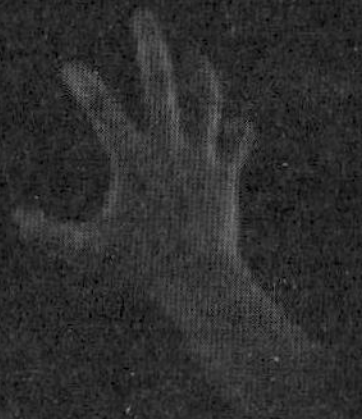

ISBN978-4-299-05327-5